KB176478

______________________________ 님께

행복을 드립니다.

____

이 땅의 어머니들에게

고구려의 어머니

홍남권 역사소설

온하루

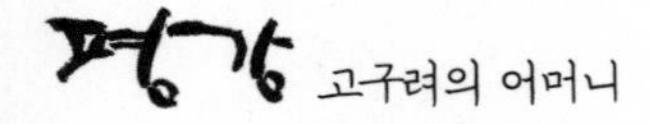

2018년 8월 17일 초판 1쇄 발행

지 은 이 홍남권
펴 낸 이 홍남권
디 자 인 (주)파코스토리
제 작 (주)파코스토리
펴 낸 곳 온하루출판사
주 소 전라북도 전주시 덕진구 무삼지 2길 10-3
전 화 010-7376-8430
이 메 일 nnghong@naver.com
I S B N 979-11-88740-08-6

* 이 도서의 국립중앙도서관 출판시도서목록(CIP)은 서지정보유통지원시스템 홈페이지
(http://seoji.nl.go.kr)와 국가자료공동목록시스템(http://www.nl.go.kr/kolisnet)에서
이용하실 수 있습니다.(CIP제어번호: 2018018998)

고구려의 어머니

홍남권 역사소설

지은이의 말

어릴 적에 삼국사기를 읽었습니다. 온달 열전의 온달은 바보가 아니라 효자였습니다. 바보가 아닌데 사람들이 왜 바보라 했을까? 무언가 사연이 있겠다 싶었습니다. 왕의 사위인 데다 이미 전쟁영웅이었던 온달이 한강유역을 차지하려다 죽고, 그의 관이 움직이지 않은 데에는 무슨 내막이 있을 거 같았습니다.

온달이 죽은 뒤 평강공주는 어떻게 살았을까? 그녀의 여생이 궁금했지만 기록은 더 이상 없습니다. [평강, 고구려의 어머니]를 쓴 동기입니다. 그런데, 646년 5월 유화부인의 상이 사흘 동안 피눈물을 흘립니다. 누가 죽었다는 기록인 듯싶은데, 고구려왕은 아닙니다. 누가 죽은 것일까요?

어느 날 문득, 평원왕이 일개 거지에 불과한 온달의 이름을 어찌 알고 있었을까? 온달이 만약 데릴사위였다면! 의문이 점점 풀렸습니다.

[안시성 그녀 양만춘]은 안시성 성주를 여자로 설정한 작품입니다. 페미니즘 소설이냐고요? 아닙니다.

중국역사상 최고의 황제라는 당태종을 무찌른 영웅, 그 영광의 이름이 당시 기록에 전무합니다. 성주가 도대체 누구였기에 이름도 안 남긴 것인

가. 당태종이 성주한테 선물도 주고 성주는 잘 가라고 당태종에게 손도 흔들어줬다는데.

당태종은 사백 년 간의 중국사 편찬을 주도한 인물입니다. 그러한 당태종에게, 안시성 성주가 여자라서 기록말살형을 받았다고 생각합니다. 그런데 우리에게 야사로 전해진 그녀의 이름은 어떻게 양만춘이 되었을까요?

양만춘이라고 우리나라에 알려진 때는 조선시대였습니다. 실제로 양만춘이 여자였다 해도 당시 유학자와 사대부들은 그 사실을 숨겼을 겁니다. 그땐 중국인이 지어준 시구절의 연개소문을 우리나라사람이 스스로 기자箕子로 바꿔버린 사대주의와 남존여비 세상이었습니다.

안시성 성주가 여자였다면 우리나라에서 가장 유명한 여성이 되었을 겁니다. 이름도 없이 최고로 이름난 여인... 신사임당대신 그녀가 오만 원 권 지폐의 주인공이었을 것입니다.

계백은 본명이 계백이 아니었습니다. 그의 정체를 감춘 것인가? 수상쩍었습니다. 우리 모두 알다시피 오천결사대와 함께 황산벌로 향하기 전 계백은 처자식을 칼로 베었습니다. 만약 계백의 아들이 열다섯 살이 됐더라면 아버지를 따라 참전했을 것입니다. 아들이 어리다면 계백은 젊었겠지요. 딸만 있었나? 그런데 딸을 아버지가 죽여?

오천결사대는 다 죽지 않았습니다. 이십여 명이 살아남았는데 이 생존자 가운데는 뜻밖에 총사령관 계백보다 벼슬이 높은 사람이 둘이나 있습니다. 이 두 사람은 황산벌에서 대체 무슨 역할을 하고 있었을까요?

문뜩 계백이 반은 백제인 반은 신라인이었다면? 그의 어머니가 신라인이라면? 그의 아내가 만약 신라인이라면? 계백이 신라군을 막으려 황산벌로 가려면 그의 처자식을 없애야만 했겠다, 생각도 듭니다.

계백의 몸이 신라의 피가 반이라면! 오랫동안 품고 있던 의문이 풀리기 시작했습니다. 그럼에도 불구하고 [계백, 신을 만난 사나이]를 비롯한 세 권의 연작은 상상력의 산물인 소설일 뿐입니다. 재미로 보아주십시오. 고맙습니다.

제목 글씨를 멋있게 써주신 백담 백종희 서예가님에게 감사드립니다. 이 책의 출간을 도와준 대학동창들, 장정우 변호사와 이엑스티(주) 송기용 대표에게도 감사드립니다.

2018. 8. 1. 홍남권

차 례

인물 관계도

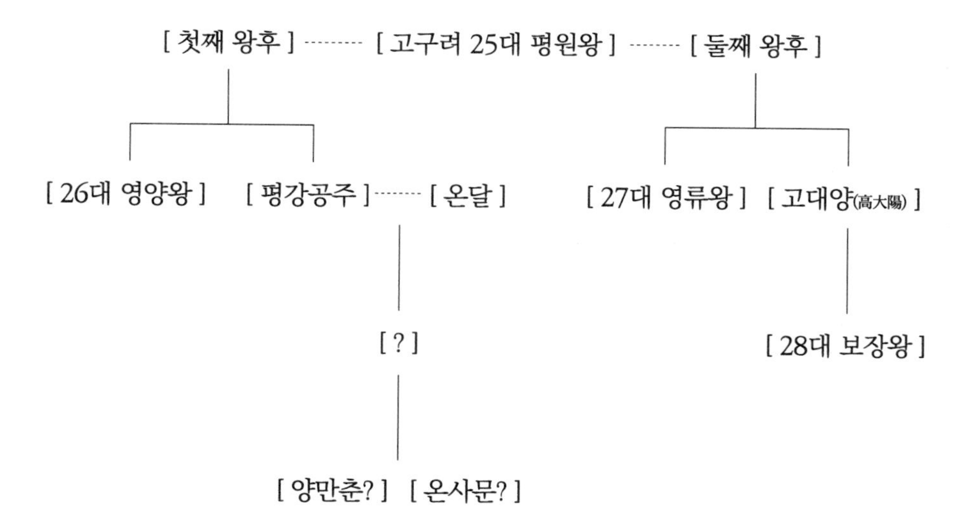
[첫째 왕후]
[고구려 25대 평원왕]
[둘째 왕후]
[26대 영양왕]
[평강공주]
[온달]
[27대 영류왕]
[고대양(高大陽)]
[?]
[28대 보장왕]
[양만춘?]
[온사문?]

제 1 장

무지개 평강

1. 두 어머니

나이어린 평강과 온달이 숨바꼭질하며 놀고 있었다. 온달이 술래였다. 숨을 장소를 물색하던 평강이 동신성모지당東神聖母之堂 안으로 들어갔다. 정원의 아름드리나무 뒤에 서 있던 온달이 거대한 탑에서부터 평강을 찾아다녔다. 온달의 시선이 문득 동신성모지당으로 향하였다. 문틈으로 온달을 지켜보던 평강이 미소를 짓고 유화부인 석상 뒤에 숨었다. 성모지당 안으로 들어온 온달이 깨금발로 평강을 찾으러 다녔다.

온달을 기다리던 평강은 금세 잠이 밀려왔다. 몸을 뒤척이던 평강이 허공으로 뻗은 손을 허우적거렸다. 온달이 누군가에게 맥없이 끌려가고 있었다. 평강이 온달을 뒤쫓아 갔어도 그 거리는 좁혀지지 않았다. 점점 멀어져가는 온달의 뒷모습에 평강은 울부짖었다.

평강 앞에 하얀 빛이 휘도는 검은 그림자인 듯싶은 형체가 드리워졌다. 유화부인의 모습을 닮은 형상이 손을 내밀어 평강을 일으켜 세웠다. 평강의 손에 온달의 손을 꼭 쥐어주고 형상은 흩어지듯 사라져갔다. 깜짝 놀라 소리를 지르며 잠에서 깨어난 평강 앞에 술래 온달이 오도카니 서 있었다.

이 일을 겪은 뒤 평강은 동신성모지당을 곧잘 들르곤 했다. 아홉 해가 지난 그날도 평강은 유화부인 상 앞에서 두 손 모아 기도하였다.

"신모님이시여, 그 이와의 인연을 다시 한 번 청하옵나이다."

기도를 마친 평강이 자리에서 일어났다. 문턱을 넘어서던 평강이 뒤를 돌아보았다. 유화부인의 석상이 그녀를 보고 미소 짓는 듯하였다. 평강도 환하게 미소 지었다. 공손히 인사를 하고 신당 밖으로 나왔다. 평강이 올려다본 새벽하늘은 은하수가 가로지르고 있었다.

평강이 처소로 돌아오자 시녀 소운疎韻이 따뜻한 차를 가져왔다. 소운이 차를 내오기 전부터 평강은 비단에 수를 놓고 있었다. 소운이 평강의 얼굴과 곱게 수놓은 꽃을 번갈아 쳐다보았다.

"공주님, 유모한테서 점심때쯤 들른다는 전갈이 왔사옵니다."

"소운아, 오늘 점심은 음식을 걸게 장만하여라. 특별히 꿩국수를 맛나게 끓여 내오너라. 소운이 너도 같이 먹자꾸나."

"아니옵니다. 미천한 제가 어찌 공주님과 겸상을. 하온데, 공주님께서는 탕국을 안 좋아하시잖습니까?"

"그럴 일이 있다. 소운아, 이 수놓은 천을 곽에 넣어 예쁘게 포장해두어라."

수놓은 꽃을 만지작거리던 평강이 먼 곳에 시선을 두었다. 오늘은 유모의 생일이었다.

점심 무렵 평강의 유모가 그녀의 처소를 찾아왔다. 방 안으로 들어서자마자 유모가 화급히 평강에게 온달 모자의 상봉 소식을 전하였다. 평강이 기쁨을 드러내기 전에 방 밖에서 환호성이 들려왔다. 평강이 시녀 소운에게 안으로 들라 하였다. 소운이 고개를 푹 숙인 채 방 안으로 들어와 무릎을 꿇고 평강 앞에 대령했다.

"네 일인 양 기뻐해주니 고맙구나. 소운아, 대신 비밀은 지켜야한다. 부마도위 모자께서 서로 만난 걸로 끝이 아니니까 내 이리 당부하는 것이다. 비밀이 새어나가면 부마도위께서 위험해지실지 몰라 그러니 각별히 입조심 하거라."

유모가 오랜만에 평강의 머리를 빗겨주었다. 평강이 유모에게 말하였다.

"끼니는 제때 챙겨 드셔?"

"끼니라도 거르지 않게 해드렸으면 좋으련만, 부마도위를 감시하는 자들이 있어 맘껏 도와드리지 못하고 있습니다."

"표 안 나게 돕는 방법을 강구해 봐야겠어."

"공주님, 그거 기억나세요? 어렸을 때 툭하면 우신 거요."

"그 버릇 언제 고쳐진 거야?"

빗질을 멈추고 유모가 평강을 안쓰럽게 바라보았다.

"온달님이 궐에 들어오시고 나서십니다."

붉어지는 평강의 볼을 유모는 놓치지 않았다.

"두 분은 처음부터 연리지 같은 인연이었지 싶습니다. 허구한 날 우시던

공주님을 웃게 만드신 걸 보면 말이옵니다. 부마도위의 어떤 면모가 그리 좋으셔서 울음을 그치셨습니까?"

"내 기억엔 그분의 마음은 바닥이 보이지 않는 우물 같았어."

의외라는 듯 유모가 고개를 갸웃거렸다. 눈을 감고 평강이 지난날을 회상했다.

*

데릴사위가 된 온달은 안학궁 서옥婿屋에서 평강공주랑 살았다. 방긋방긋 웃음 띤 얼굴로 나이어린 온달이 서옥 뜰을 돌아다녔다. 평강의 책읽기가 끝나기를 기다리는 것이었다. 온달이 뜰 한가운데 서 있는 대추나무에 날아든 잠자리를 향해 살금살금 걸어갔다.

잠시 뒤 온달이 평강의 방으로 뛰어 들어갔다. 평강에게 손을 펴보라고 했다. 평강이 팔을 뻗어 손을 폈다. 온달이 평강의 손바닥에 그에게 잡히는 바람에 죽은 한 쌍의 잠자리를 올려놓았다. 평강이 버럭 화를 냈다.

"잠자리를 왜 죽여? 뜰에는 잠자리도 날고, 새도 울고, 벌과 나비도 사는 건데."

온달이 염치없어 훌쩍이면서 말했다.

"두 마리가 함께 있는 게 좋아 보여서. 죽이려던 건 아닌데 너무 세게 잡아서."

우는 온달을 울보 평강이 한참 바라보았다. 울음을 그쳤다가 다시 울기를 반복하는 온달을 평강이 끌어안아주었다.

태어난 시냇물의 냄새를 찾아낸 회귀어처럼 평강의 회상이 시간을 더 거슬러 올라갔다. 투두둑, 대지를 적시는 굵은 빗방울이 떨어지기 시작했다. 천둥번개를 몰고 온 구름이 소나기를 쏟아내었다. 평강이 책을 보고 있는 온달을 데리고 방 밖으로 나갔다.

"셋 하면 뛰는 거야."

온달이 고개를 저었다. 주저하는 온달의 손을 잡고 평강이 빗속으로 뛰어든 뒤 이리저리 내달렸다. 시녀들이 일산을 들고 쫓아왔다. 시녀들에게 잡히지 않으려고 평강과 온달이 더 빨리 뛰었다. 결국 공주와 부마도위가 감기에 걸리고 마니 시녀들한테 평원왕에게서 불호령이 떨어졌다.

시녀들에게 겹겹이 둘러싸인 채 평강이 온달과 나란히 누웠다. 콜록콜록 평강이 기침을 하면 온달이 따라서 기침을 했다. 온달이 기침을 하면 평강도 기침을 했다. 둘이 서로의 얼굴을 보며 웃었다. 평강이 기침을 하는 바람에 온달의 얼굴에 침이 튀었다. 평강이 온달의 이마와 볼을 만져보았다. 살갗은 따뜻했다. 평강이 제 이마를 만져보았다. 왠지 온달보다 열이 덜 나는 것 같았다. 어느새 깊은 잠에 빠져든 온달은 평강이 제 뺨을 매만지는지도 모르고 곤히 잤다.

어느 날은 독서를 하는 온달이 평강이 온 줄도 모르고 함박웃음을 짓고 있었다. 평강이 살금살금 다가가 온달의 눈을 손바닥으로 가렸다. 색시, 평강이 누구냐고 묻기도 전에 온달이 말했다. 평강이 손을 거두었는데도 온달은 평강을 뒤돌아보지 않았다. 평강이 온달 옆에 앉았다.

"오늘은 또 무슨 책입니까? 활쏘기 연습은 하였습니까?"

온달은 대답하지 않았다.

"활쏘기 연습을 안 하면 대왕께서 싫어하십니다."

온달이 고개를 가로저었다.

"활쏘기를 거르시면 부마도위의 어머님께서 싫어하신답니다."

온달이 다시 고개를 가로저었다.

"부마께서 활쏘기 연습을 게을리 하면 평강공주도 싫어한답니다."

온달이 벌떡 일어나 뒤뜰 활터로 달려가다 평강에게 돌아왔다.

"공주야, 같이 가자."

온달이 쏜 화살이 과녁을 맞히면 평강이 웃었다. 과녁을 맞히지 못하면 평강이 울먹거렸다. 온달은 평강이 울지 않도록 명중시키려 애썼고 어느 순간부터 평강은 활터에서는 눈물을 보이지 않아도 되었다.

평강이 이 세상에서 누가 제일 좋은지 물은 적이 있었다. 엄마, 온달이 바로 대답하였다.

"그딴 걸 왜 물어?"

유모만 있는 평강의 얼굴이 금세 시무룩해졌다. 온달이 깜박했다는 듯 머리를 긁적이었다. 무슨 말을 해야 할지 이리저리 고민한 끝에 온달이 평강에게 엄마 노릇을 해주겠다고 하였다. 평강이 웃었다.

"피, 바보. 다시는 그런 말씀 마시어요. 온달님은 제 낭군이십니다."

*

과거를 회상하던 평강이 풋, 웃음을 터뜨리자 유모가 말했다.

"왜 웃으시는 겁니까?"

"아니야."

"그새 또 낭군 생각을 하셨습니까?"

"아니라니까."

"그랬다고 공주님 얼굴에 다 쓰여 있습니다."

평강과 유모가 오랜만에 큰소리로 함께 웃었다. 데릴사위 온달이 궐에서 쫓겨난 지 일곱 해 만이었다.

소운이 점심 수라 준비가 다 되었다고 아뢰었다. 걸게 차린 점심 상 앞에 평강과 유모가 마주 앉았다. 옆에 한자리를 차지한 소운이 몸 둘 바를 몰라 고개를 푹 숙이었다. 평강이 숟가락을 들어 유모 손에 건네주었다. 생신을 축하한다는 말과 함께였다. 꿩국수 국물 한 숟갈을 떠먹는 유모의 눈가가 촉촉해졌다.

평강이 소운에게 눈짓을 했다. 소운이 오색비단 보자기로 싼 곽을 평강에게 건넸다. 평강이 선물이라며 유모에게 주었다. 유모가 보자기를 풀고 곽을 열었다. 비단에 수놓은 한 송이 함박꽃이 봄바람에 나부끼는 생화 같았다.

"유모, 오래오래 건강하게 사세요."

유모가 눈물을 질금거리고 목이 메어했다. 평강과 유모가 오랫동안 서로 눈을 마주쳤다.

평강공주가 아프다는 내관의 전언에 평원왕이 공주의 처소를 찾았다. 한눈에 봐도 이번에는 꾀병이 아니었다. 대왕의 행차에 방 밖으로 나가려는 유모를 평원왕이 불러 세웠다. 평원왕은 한숨부터 지었다.

"다른 사람도 아닌 우리 평강이의 유모이니 부탁을 하나 하겠소. 유모도 알다시피, 외교에 있어서 수십만 군사 같은 위력을 발휘하는 게 그 나라의 공주요."

유모와 침대 위의 평강 둘 다 깜짝 놀랐다. 평원왕이 유모와 평강의 얼굴을 번갈아보았다.

"나라 안팎의 잘났다는 가문이 우리 평강일 며느리 삼고자 혈안이 돼 있소. 주나라, 제나라, 저 돌궐까지 고구려의 부마국이 되겠다고 아우성이오. 하지만 나는 절대 우리 딸을 팔지 않을 것이오. 그런데 평강이가 계속 온달을 고집한다면 어떤 일이 벌어질지, 나도 장담할 수 없소. 내가 유모에게 하는 이 하소연이 무슨 뜻인지 잘 알아들었으리라 믿소."

유모가 머리를 조아렸다. 평원왕이 말하였다.

"일천만 명을 다스리는 군왕인 내가, 유모 앞에서는 여식 하나 맘대로 못하는 평범한 아비일 뿐이라오. 우리 평강일 잘 돌봐주오. 내 심경을 헤아려 공주가 시집갈 때까지만 당부하오. 유모의 공은 결코 잊지 않으리다. 땅이 필요하면 땅을 주고 집이 필요하면 궁궐 같은 집을 지어주겠소."

평원왕이 친히 유모의 손을 토닥여주었다. 평원왕을 배웅하려고 평강이 침대에서 일어나려다 몸을 가누지 못하고 다시 누웠다. 걱정스러운 표정으로 평원왕이 평강을 달래었다.

"평강아, 온달의 아비가 전쟁에서 패해서, 온달이 물려받을 영지가 없어져서 온달을 내친 게 아니란다. 그깟 땅은 얼마든지 새로 마련해줄 수가 있느니라. 온달은 게으른 데다 뛰어난 구석이 없질 않느냐. 뛰어나지 못한 게 아니라 모자라 보이지 않느냐, 이 말이다."

"아뢰옵기 황송하오나, 도가들의 말에 대현약우大賢若愚란 말이 있다 하더이다."

평원왕이 미소 지었다.

"평강아, 네 눈엔 온달이 그리 보이더냐. 큰 지혜는 일견 어리석어 보인다, 이 말엔 동감하지만, 온달은 아니다."

"아버님, 부디 그 사람을 과소평가하지 말아주시옵소서. 진정 큰 그릇은 늦게 만들어진다 하더이다."

"넌 내 딸이다. 이 나라, 대 고구려의 공주란 말이다. 커다란 항아리가 될지 작은 잔이 될지 모를, 온달 같은 조무래기의 미래를 기다릴 필요조차 없단 말이다."

입술을 꽉 깨물고 평강이 평원왕의 시선을 피하였다. 평원왕이 의자에서 벌떡 일어났다.

"이 아비 속 좀 그만 썩이거라."

평원왕이 방문을 향해 걸어가다 평강을 뒤돌아보았다. 평강의 볼을 타고 흘러내리는 눈물이 평원왕의 마음을 적시었다. 평강은 돌이 되기 전에 생모를 잃은 눈물이 많을 수밖에 없는 아이였다. 어머니가 이 세상의 전부인 그 행복의 시기를 평강은 누리지 못하였다. 평강을 향해 걸음을 옮기려던 평원왕이 마음을 다잡았다.

"뚝 그치지 못하겠느냐! 아무리 울어도 나는 이제 눈 하나 꿈쩍하지 않을 것이니라. 앞으론 그 눈물로 절대 네 뜻을 이룰 수 없을 것이다!"

평원왕이 나가자 유모가 평강에게 다가갔다. 유모는 내심 평강의 그 흔들리지 않는 사랑을 응원하였다. 평강과 더불어 그녀는 평원왕의 마음을 돌리려 부단히 애써왔다. 자주 평강을 찾아와 그녀와 온달 사이에서 오작교노릇을 하곤 했다.

유모는 울보 평강이 온달이 궐에 오고 나서부터 우는 횟수가 줄어들었다는 걸 똑똑히 기억하고 있었다. 나이어린 평강이 온달에게 글을 가르쳐주고 온달이 평강에게 활 쏘는 방법을 알려주며 웃고 떠들던 모습이 잊히지 않았다. 평강은 그 무지개 같은 꿈을 지금도 정성으로 가꾸는 소녀였다.

"공주님, 일단 대왕님 말씀에 따르는 척하세요. 제가 계속해서 부마도위의 소식을 전해드릴 테니까요."

집으로 돌아가려는 유모에게 평강이 경대에서 금팔찌를 꺼내 건네주었다.

"이걸로 사람들 몰래 부마도위와 그 일행을 도와줘."

유모가 방문을 나서자 평강이 생각에 잠기었다. 그녀의 나이 어느덧 열여섯, 결단을 내려야할 시간이 성큼 와 있었다.

*

고구려의 다섯 부 가운데, 중부는 현 왕족이고 역대 왕비들은 대개 북부출신인 만큼 두 부족은 막강했다. 초창기 왕족이었던 동부는 자체 종묘를 세워 천지와 일월의 신에게 따로 제사를 지낼 정도로 자부심이 대단했다. 이 세 부족에 치이는 처지인 서부와 남부는 공주 평강과의 혼사에 적극적으로 매달렸다.

남부출신인 온달이 궐에서 쫓겨난 뒤, 남부 막리지 온예溫穢는 하루아침에 거지가 된 온달을 외면하였다. 왕의 사위가 된 온달의 집안을 한때 시샘하기도 했지만 온예는 평강의 굳센 의지를 보고 마음을 고쳐먹었다. 공주 평강의 뜻은 두 남녀의 사랑에만 있지 않았다. 평강의 말처럼 데릴사위 온달은 고구려대왕과 백성들 사이의 약조였다. 명분이 있는 그녀의 주장은 백성들의 지지를 얻기 쉬웠다. 게다가 자고로 딸을 이기는 아버지는 없다고 했다. 훗날 만에 하나라도 온달이 평강과 다시 결합한다면 온달은 다시 온씨 가문 아니, 고구려의 기린아로 부상할 거였다. 언젠가 남부가 북부나 동부처럼 곧잘 왕비를 배출하며 떵떵거리는 날이 올 수도 있음이었다.

온예가 손궤 서랍을 열고 온달모가 건네줬던 화살촉을 꺼내 바라보았다. 이날 저녁 남부 막리지 겸 대막리지 온예가 평원왕을 알현하겠다고 요청을 올렸다.

온예의 입에서 온달이 나오자마자 평원왕이 말하였다.

"온달 얘기는 꺼내지 말라 하지 않았소."

"온지추溫智秋 이야기옵니다."

온지추는 평원왕의 벗이었고 온달의 아비였다. 온예가 옷소매에서 물건을 꺼내 평원왕 앞에 바치었다.

"웬 화살촉인가?"

"온지추의 심장에 박혔던 화살촉입니다. 이것은 신라 따위가 감히 우리에게 내민 도전장 아니겠사옵니까. 그 비수가 아직도 우리 고구려의 심장에 박혀있사옵니다. 성상폐하, 신라를 견제할 수 있도록 남부의 힘을 키워주시옵소서."

"남부의 힘을 키워 달라? 대막리지께서 그다음 원하는 것은 무엇이오?"

"폐하, 일인지하 대막리지인 제가 무엇을 더 바라겠사옵니까!"

"상량해 볼 것이니 그리 아시오."

온예가 물러가자 평원왕이 손을 뻗어 화살촉을 집어 들었다. 온지추와 함께했던 시간을 떠올리며 평원왕이 회한에 잠기었다. 그의 기억 가운데 모래탑을 쌓으며 소꿉장난하는 어린 평강과 온달이 아른거렸다. 온달이 모래탑 한가운데 막대기를 꽂아 놓고 가장자리 흙을 살살 긁어냈다. 차례가 된 평강이 흙을 긁어내다 막대기를 쓰러뜨렸다. 이겼다고 좋아하던 온달은 곧 울음을 터뜨린 평강을 보았다. 온달은 평강이 울지 않기를 바랐다. 평강을 달래주겠다며 온달이 그녀를 업다가 앞으로 고꾸라지고 말았다. 평강의 얼굴이 어렴풋 웃음을 띠자 온달은 평강보다 더 환하게 웃었다. 이 기억 속에 평강과 온달을 흐뭇하게 바라보는 온지추도 있었다. 그도 평원왕처럼 미소를 띠며 평강과 온달을 바라보고 있었다. 평원왕이 온지추에게 다가가 그와 스스럼없이 어깨동무를 했다.

서서히 평원왕이 고개를 가로저었다.

'온지추, 이 사람아, 목숨은 부지하지 그랬나.'

평원왕이 또다시 고개를 저었다. 온지추는 패장이었다. 고구려는 패전한 장수는 물론 적에게 항복한 자도 사형에 처했다. 낭비성娘臂城 성주였던 그가 패하는 바람에 신라에게 오백 리 땅을 빼앗겼다. 그 금쪽같은 영토를 잃었으니 온지추는 죽어 마땅했다. 그가 전사하지 않고 살아 돌아왔으면 평원왕은 오히려 더 난감했을 것이었다.

'그래, 내가 그대였다 해도 같은 선택을 했을 거야. 하지만 온지추, 군왕도 내 맘대로 하는 것만은 아닐세. 동무인 그대에게 변명 따윈 하지 않겠네. 딸을 둔 아비의 마음은 이런 거라네. 그대의 아들 얼굴을 보면 마음이 약해질 거 같아 곧장 궐에서 쫓아냈다네. 그대가 나였다 해도 역시 같은 선택을 했으리라 믿네. 온지추, 이거 하나만은 내 약속하지. 그대의 처자를 내 손으로 죽이지는 않을 걸세. 부디, 평안히 계시게나.'

온지추의 아들 온달을 궁에서 쫓아내는 데 반대한 사람은 없었다. 오직 단 한 사람, 평강을 제외하고. 평원왕의 눈가에 한 방울 눈물이 고였다. 소꿉장난을 하다가 아버지들을 보고 손을 잡은 채 달려오는 나이어린 평강과 온달의 모습을 담은 눈물방울을 평원왕이 닦아냈다.

*

남장을 한 평강의 유모가 손에 보자기를 들고 온달의 집 근처에서 서성이었다. 저만치서 터벅터벅 온달이 혼자서 걸어오고 있었다. 온달을 지켜보던 유모가 깜짝 놀랐다. 온달을 뒤따라오는 정체불명의 사내를 보아서였다. 온달을 향하여 유모가 종종 걸음으로 빠르게 걸어갔다. 사내가 점점 온달에게 접근했다. 그가 품에서 단검을 꺼내 온달을 찌르려는 순간 유모가 사내와 온달 사이에 뛰어들었다. 온달을 감싸 안아 그녀가 칼을 대신 맞았다. 당황한 사내가 주위를 주리번거리더니 멀리서 들려오는 인기척 소리에 자리를 피했다. 쓰러졌던 온달이 몸을 일으켜 유모의 얼굴을 쳐다보았다. 유모가 눈짓으로 보자기를 가리키었다. 온달이 보자기를 쥐어들자 유모가 힘겹게 말하였다.

"그동안 해왔듯 바보처럼, 아무도 눈치 채지 못하게 더 바보처럼."

더 이상 말을 못하겠는지 유모가 온달에게 웬 눈짓만을 반복했다. 이 자리를 피하라는 뜻인 것 같았다. 꿈쩍 않고 온달이 유모의 눈동자를 주시하는 사이 그녀가 절명했다. 유모는 낯선 안학궁에서 살기 시작한 나이어린 온달까지 돌봐주었다. 그녀는 평강의 유모였지만 온달의 유모이기도 했다. 소리 없이 흐느끼던 온달이 옷소매로 눈물을 닦았다. 유모의 죽음을 뒤로 하고 온달이 집을 향하여 달려갔다.

평강의 유모가 죽었다는 소식은 빠르게 평원왕에게 전해졌다. 시름에 잠겨있던 평원왕이 다섯 부의 막리지들에게 입궐을 명하였다. 공주의 유모를 죽이다니, 대체 어느 놈의 소행인 것인가. 평원왕이 막리지 한 명 한 명의 눈을 노려보다 입을 열었다.

"평강공주의 유모가 죽었소."

막리지들은 어이없다는 듯한 표정이었다. 평원왕의 시선을 피하지 않고 헛기침을 했다. 이러한 막리지들의 행동거지 하나하나를 평원왕은 눈여겨보았다. 을두노가 말했다. 그는 북부의 막리지이자 평원왕의 장인이었다.

"대왕, 황공하오나 공주의 유모가 죽은 일로 저희들을 부르시지는 않았을 것이라 사료되옵니다만."

"그렇소. 유모가 죽은 일 따위로 어찌 막리지들을 모이라 했겠소. 살인사건 때문이오. 유모가 칼을 맞고 죽었소. 이 일은 공주의 생명에 대한 위협이자 왕실의 권위에 대한 도전이오. 아니 그렇소?"

살해당했다는 소리에 막리지들이 평원왕에게 황공해했다. 평원왕의 시선은 주로 을두노에게 머물러 있었다. 물증은 없었다. 그저 심증만 있을 뿐이었다.

"내 정녕 용서치 않을 것이오. 막리지들도 아시다시피 유모는 생모인 양 평강공주를 잘 돌보지 않았소. 왕실엔 일등 공신과 다름없다는 걸 유념해 주시오. 유모의 장례를 엄숙하게 치룰 것이니 막리지들께서도 성심을 보여주시오. 어머니를 두 번씩이나 잃은 평강의 마음을 그걸로 달랠 수 있을지 모르겠소."

유모가 절명했다는 비보를 평강에게 전한 사람은 태자였다. 소운은 하염없이 눈물을 흘리는 평강 옆에서 안절부절못했다. 오라버니 태자도 울보 평강이 이처럼 구슬프게 우는 모습은 처음 보았다.

어느 순간 평강이 굵은 눈물방울을 닦아내었다. 소운에게 소복을 준비하라 일렀다. 소운은 평강의 명을 쉽사리 따르지 못했다. 유모라 할지라도 아랫사람의 죽음에 천하의 고구려 공주가 소복을 입는 것은 법도에 어긋나는 일이었다. 소운이 태자를 쳐다보자 태자가 고갯짓으로 그리하라고 하였다.

소운이 소복을 가지러 간 사이 태자가 잠시 평강의 어깨를 토닥여주었다. 형제들은 더 있었어도 평강과 모후가 같은 혈육은 태자밖에 없었다. 태자는 고민이었다. 그는 자식을 낳을 수 없는 몸이었다. 평원왕이 승하하면, 태자인 그가 없으면 훗날 그 누가 하나밖에 없는 누이를 돌봐줄 것인가.

태자가 시위에게 평원왕의 소재를 물었더니, 평원왕은 왕후의 궁에 머물고 있다고 하였다. 소복으로 갈아입은 평강과 태자가 왕후의 궁까지 동행했다. 평강이 평원왕후의 궁 안에 들어가 문상을 허락받는 동안 태자는 궁 밖에서 잠시 기다리기로 했다. 평강이 평원왕의 허락을 얻지 못하면 태자가 나설 것이었다. 그래도 안 되면 유모의 집으로 문상 가는 태자를 평강이 따라갈 작정이었다.

평강이 소복을 입고 평원왕후의 궁에 들어섰다. 깜짝 놀랐으나 잠시 뒤 딸의 의도를 알아 챈 평원왕이 평강을 타일렀다.

"평강아, 어찌 공주가 궐 밖으로 문상을 간다는 것이냐?"

"진정 몰라서 하문하시는 것이옵니까? 제 어머님이십니다."

친모는 아니지만 명색이 평강의 어머니인 평원왕후가 끼어들었다.

"평강공주, 왕가의 법도는 민가의 예절과 다르다는 걸 모르느냐?"

"저를 키워주신 분이십니다."

"말 잘했구나. 키워준 게지 낳아준 게 아니지 않느냐?"

"황공하오나 그러하시면 왕후마마의 국상 때 제가 문상을 하지 않아도 된다는 말씀이시옵니까?"

평원왕후가 헛기침을 했다. 평강이 말하였다.

"전 그분의 젖을 먹고 컸습니다. 아니, 전 그분의 사랑으로 자랐습니다. 아바마마께서도 말릴 생각은 마시옵소서. 저는 가야겠사옵니다."

평강이 평원왕을 향하여 소리 높여 말하였다.

"소녀가 가엽지도 않사옵니까. 태어나자마자 모후를 잃고 유모 젖을 먹고 이만큼 자랐는데, 먼 길 가는 유모를 배웅도 하지 말라니요. 저더러 은혜를 저버리라는 말씀이시옵니까."

당차게 뒤돌아서서 걸어가는 평강에게 평원왕후가 무슨 말을 하려하자 평원왕이 내버려두라고 하였다. 평강은 눈물이 많을 수밖에 없는 아이였다.

지난 몇 년 간 바보처럼 처신해 사람들 눈을 속여 왔지만, 온달은 유모의 유언대로 더 바보처럼 행동했다. 그런 탓에 세인들은 온달을 바보라 착각했다. 온달모 또한 마찬가지였다. 온달이 복수를 잊은 듯하자 온달모는 온달에게 말하곤 했다.

"넌, 억울하지도 않느냐. 네 아버지의 피로 얼룩진, 네 땅이니라. 반드시 찾아야 할 것이야."

온달이 머리를 긁적이었다.

"거기까지 생각이 미칠 겨를이 없었사옵니다. 당장 먹고 살 일이 걱정인지라."

온달모의 눈썹이 바르르 떨리었다. 온달모와 온달은 곧잘 여러모로 의견이 충돌했다. 온달모는 아들이 글로 출세하길 바랐지만 온달은 진즉 무관이 되는 길을 택했다. 글공부는 배경이 탄탄한 사람에게 더 어울릴 듯싶었다. 작금의 온달 처지에서는 무예로 성공하는 게 더 빠를지도 몰랐다. 글은 읽어야 할 때가 있고 칼도 잡아야 하는 시기가 있었다. 게다가 무예를 숭상하는 고구려에서 글은 멀고 칼은 가까운 길이었다. 온달이 서책을 아주 멀리한 것은 아니었다. 짬이 나는 대로 병법을 다룬 책은 익혀두었다. 하지만 고구려의 대왕한테서 버림받은 몸인 그가 장차 무슨 일을 해야 하는지, 벼슬을 받을 수 있을지 없을지조차 아무도 대답해주지 못했다.

온달의 속내를 알 길이 없는 온달모는 혀를 끌끌 찼다.

"네가 육 년 전에 아단성에 심고 왔다던 그 소나무 말이다. 이젠 너만큼 자랐겠구나. 그때 무슨 생각으로 아단성에 소나무를 심고 왔느냐? 어찌 이리 물러 터졌는지 모르겠구나. 사내의 심지가 그리도 얕아서야 쓰겠느냐."

온달송, 지난날의 그 소나무를 온달이 잠시 회상하였다.

오래도록 걸을 필요도 없을 만큼 아단성은 자그마한 성이었다. 성 안에 소나무묘목 한 그루 심어놓고 온달이 그 앞에 오뚝이 섰다. 소나무를 바라보며 온달이 속으로 맹세했다.

'네가 내 키만큼 자라기 전에 다시 올 것이니라. 기필코 이 땅을 다시 밟을 것이니, 그때까지 무럭무럭 자라다오. 네 이름은 온달송이다. 온달송, 잊지 말거라.'

온달이 아단성 아래 펼쳐진 들녘을 바라보며 이를 악물었다.

현실로 돌아온 온달에게 온달모가 말했다.

"못난 놈, 파혼당할 만하니 내쳐진 게야."

"어머니, 제발, 조금만 더 참으세요."

죽은 아버지는 얼굴도 기억나지 않았지만 복수를 잊은 것은 아니었다. 복수는 살아있었다. 장님이 되었지만 어머니의 복수는 살아있는 복수였다. 죽은 복수라면 몰라도 살아있는 복수는 쉽사리 잊히지 않았다.

온달이 방 밖으로 뛰쳐나갔다. 고개를 푹 숙이고 허청허청 걸음을 내딛었다. 너럭바위에 올라 평양성을 내려다보았다. 바위에 드러누워 생각에 잠긴 온달은 한동안 꼼짝도 하지 않았다. 장님이 된 어머니를 위해서라도 출세를 하고 싶었다. 그동안 갈고닦았던 무예실력을 드러내 벼슬살이를 하고 싶었다. 하지만 지금당장 구걸을 그만둘 순 없었다. 비렁뱅이 짓은 그의 복수심을 감추기에 제일 나은 방법이었다.

온달이 남쪽 저 멀리 온달송 방향으로 시선을 돌렸다. 잊지 않았어도 잊은 듯 마음을 다잡았다. 너럭바위에 좌정한 다음 온달이 품안에서 서책 한 권을 꺼냈다. 책을 펼치지 않은 채 온달은 그 내용을 입으로 외워보았다. 암송을 끝낸 온달이 하늘을 우러러 맹세했다.

"지금의 나를 만든 또 한 사람, 유모, 당신의 죽음을 헛되이 하지 않으리다."

온달이 저잣거리로 나왔더니 백성들이 서너 명씩 모여 수군거리고 있었다. 사람들에게 다가가 그들의 얘기에 잠시 귀를 기울였다.

"태어나자마자 친어머니를 잃었으니 얼마나 유모를 의지했겠어."

평강공주의 유모가 죽어 그녀가 유모의 사저에 문상을 온다고 했다.

"이러고 있을 게 아니라, 이참에 공주님 구경 한번 하자고!"

우르르 몰려가는 사람들을 온달은 뒤따라갔다. 온달이 유모의 집 근처에 당도했을 때, 문상을 마친 평강은 대궐로 돌아가고 있었다. 백성들이 소복 차림의 공주를 뚫어져라 바라보았다. 평강공주를 구경하던 백성들이 한마디씩 했다.

"공주님이라고 해서 다를 줄 알았는데, 아니네. 저 차림새 봐. 우리네가 입는 소복하고 똑같잖아."

"공주님 행차답지 않게 화려한 우마차도 없고 시녀들도 몇 안 되잖아."

소복을 입은 평강의 모습이 보이지 않을 때까지 온달은 먼발치서 그녀를 바라보았다. 멀찍이 떨어진 채 온달은 평강의 뒤를 쫓기 시작했다. 그러다 어느 순간 발걸음을 빨리 했어도, 일순간 뜀박질을 했는데도 평강과의 거리가 좁혀지지 않았다. 온달은 어지러웠다. 평강과는 다른 시간을 사는 듯했다. 평강은 현재를 살고 있고 그는 과거를 사는 것 같았다. 데릴사위, 안학궁, 평강, 아버지, 모두 다 지나간 시간이었다.

평강이 안학궁 안으로 사라졌다. 더 이상 평강의 모습이 보이지 않았다. 그녀의 발자국도, 그녀의 그림자도 보이지 않았다. 한때 그의 집이었던 안학궁은 그가 다시는 들어갈 수 없는 곳이었다. 그가 발을 딛고 서 있는 땅은 궁궐 안의 땅과 동시에 존재하는 공간이 아닌 듯싶었다. 이렇듯 가까이에서, 눈으로 직접 보고 있어서 더 비현실적으로 느껴졌다. 평강과 같은 시간 속에서 산다고 한들 존재하는 공간은 달랐다. 온달 혼자 아버지의 복수라는 보이지 않는 공간에 갇혀있었다.

'평강, 우리의 인연은 여기까지다.'

2. 고구려의 공주를 차지하라

거란국 왕자 무카사武作思가 사신자격으로 575년 평양성을 다시 방문하였다. 그는 고구려 공주의 얼굴과 이름을 떠올리며 미소를 지었다. 평강, 그 말괄량이 공주는 지금 열여섯 살쯤 되었을 터였다. 미녀라고 거란에까지 소문이 났으니 대초원에 뜬 무지개보다 더 아름다울 것이었다. 그 무지개를 무카사는 거란으로 가져갈 심산이었다.

이천 리가 넘는 길을 달려 평양성에 당도한 무카사의 행보는 수상쩍었다. 그는 평원왕을 만나기 전 평원왕후의 처소를 먼저 찾아갔다. 마침 평원왕후는 태자비와 담소를 나누고 있었다. 무카사가 준비해온 보석함을 두 여인 앞에 내놓았다. 평원왕후가 말했다.

"원하는 게 대체 무엇이기에 이토록 많은 보석을 선물하는 것이오?"

"평강공주를 한 번만 뵙게 해주십시오."

무카사의 간청에 평원왕후가 난색을 표했다. 그녀에게 평강의 얼굴은 매일매일 보고 싶은 얼굴이 아니었다. 그러자 태자비가 평강을 찾아 불렸다.

평강이 실내로 들어서자 무카사가 의자에서 일어나 그녀에게 목례를 했다. 평강은 가볍게 고개만을 숙였을 뿐 그녀의 안중에 무카사는 없었다. 평강이 데면데면하니 무카사와 두 여인 모두 겸연쩍어했다. 무카사와 평원왕후 대신 태자비가 입을 열었다.

"평강공주, 이상하게 생각지 마세요. 거란의 풍속에선 어머니를 아버지보다 위에 둔답니다. 우리 고구려가 유화부인을 부여신으로 섬기는 것과 매한가지입니다. 해서 거란국 왕자가 대왕보다 왕후께 먼저 문안인사차 들렀답니다."

무카사가 평강에게 말했다.

"제가 먼 옛날 어린 공주님을 뵌 적이 있사옵니다. 오늘까지 단 하루도 공주님을 잊은 적이 없사옵니다."

수상쩍은 낌새에 평강이 자리에서 벌떡 일어섰다.

"그렇다면, 더욱 무례하질 않습니까. 당사자인 제게 먼저 기별을 해야 마땅하거늘."

태자비가 평강을 달래었다.

"평강공주, 무카사 왕자가 하고픈 말이 있답니다. 무카사 왕자, 무슨 말인지 해보세요."

듣지 않겠다며 평강이 방 밖으로 나가려했다. 무카사가 평강 앞을 가로막았다.

"거란국 왕자 무카사가 고구려의 공주님께 혼인을 청하옵니다."

평강의 눈초리가 매서워졌다. 무카사에게서 시선을 돌려 평강이 태자비를 노려보았다. 다른 사람이면 몰라도, 태자 오라버니의 올케가 그녀에게 이럴 수는 없다고 생각했다. 방 밖으로 나가려는 평강에게 태자비가 다가가 옷소매를 붙잡았다. 평강이 태자비의 손을 뿌리치고 뺨을 때렸다.

"평강공주!"

태자비는 그다음 말을 잇지 못했다. 평강이 밖으로 나가자 잠시 뒤 태자비가 평강을 뒤따라 나갔다. 평원왕후와 무카사는 어안이 벙벙할 따름이었다. 무카사는 더 이상 왕후의 처소에 있을 이유가 없었다. 평원왕을 알현하러 간다며 평원왕후에게 인사를 하고 문밖을 나섰다.

붉으락푸르락하는 얼굴로 태자의 처소로 향하던 태자비는 그 길목에서 그녀를 기다리고 있는 평강을 보았다. 평강이 말했다.

"올케, 미안해. 왕후마마의 처소에서 벗어나려면 그 수밖에 없는 거 같아서. 그리고 그렇듯 사납게 성깔을 보여줘야 그 거란 왕자가 나를 단념할 거 같아서. 정말 미안해. 올케가 이해해줘."

평강의 눈에선 이미 굵은 눈물방울이 떨어지고 있었다.

"무슨 일이 생기면 올케는 가서 하소연이라도 할 데가 있잖아. 올케는 오라버니가 있잖아. 그 사람이 내 곁에 있었으면 이런 일이 없었을 텐데. 미안해. 올케."

"평강공주."

뺨을 맞았던 태자비가 오히려 평강을 위로하고 달래었다.

평원왕후가 둘째왕자와 셋째왕자를 찾아 불렀다. 이 왕자들은 그녀의 소생으로 태자와 평강공주와는 배다른 남매였다. 후사가 없는 태자 탓에 다다음 고구려왕위는 이 왕자들 가운데 한 명에게 갈 것이었다. 평강과 관련된 변수만 생기지 않는다면. 평원왕후가 미소를 띠며 왕자들에게 말하였다.

"거란의 왕자가 청혼을 하려고 직접 왔으니, 평강의 혼사가 다시 불거질 터이고, 평강도 혼인을 더는 미루지 못할 게다. 이참에 평강을 우리 북부에서 며느리로 삼아야겠다. 우리 북부의 세력이 더 강해질 일이니, 여러모로 잘된 일이 아니겠느냐."

둘째왕자 고건무高建武가 고개를 갸웃했다.

"하온데, 모후, 평강 누이는 일개 공주가 아니옵니까. 먼 옛날 흉노의 영웅 묵돌선우는, 이 세상 그 어떤 보물보다, 그 어느 미인보다, 영토가 소중하다 했사옵니다."

"그런데?"

"모후께선 우리 고구려가 땅을 잃은 슬픔보다, 우리 북부가 평강공주로 인해 얻을 기쁨이 큰 듯하시니, 외람되지만 드리는 말씀이옵니다."

"땅을 두고 경쟁하는 것은 사내들이 하는 일이다. 하지만, 그 땅의 지배자를 만드는 건 여인이다. 잘난 사내를 망치는 것도, 죽어가는 사내를 다시금 세우는 것 또한 여인이다. 평강은 어릴 적부터 대왕의 슬하에서 정치를 배웠다. 그 아이는 장차 진짜 사내를 만드는 여인이 될 것이다. 해서 평강은 우리 북부의 차지가 돼야 한다는 말이다."

말은 이리 했어도 평원왕후는 평강이라는 존재가 부담스러웠다. 평강의 생모는 지난날 고구려왕족인 동부, 즉 상부上部출신이었다. 평강은 북부출신인 평원왕후의 왕자들보다 결코 서열이 낮지 않았다. 공주가 왕이 된 적은 없지만 평강이 왕위에 오르지 말란 법 또한 없었다.

고구려왕들은 동부와 북부의 힘이 지나치게 커지는 걸 견제했다. 평원왕이 온지추와 친구처럼 지내는 사이였다고는 하나, 남부출신인 온달을 사위로 삼은 건 그런 이유에서였다. 여느 고구려왕들처럼 평원왕 또한 어느 한 부족으로 권력이 쏠리는 걸 원치 않았다. 선대왕부터 시작된 장안성 축조 또한 왕권을 강화하기 위해서였다.

이날 저녁 평원왕이 거란의 무카사 일행에게 연회를 베풀었다. 연회에는 오부의 막리지들도 모두 참석했다. 자리에 앉아있던 무카사가 평원왕 앞으로 나와 무릎을 꿇었다. 고구려의 영광과 번영을 경하 드린다고 아뢰었다. 평원왕이 고개를 끄덕이었다. 인사치레는 짧게 하고 무카사가 본론을 꺼내들었다. 무카사가 콩, 철, 종이, 포목의 교역 양을 늘려달라고 하자 평원왕이 말하였다.

"작년과 올해 너희 거란의 식량 사정이 괜찮다 들었는데, 콩이 왜 더 필요한 것이더냐? 군사를 도모하는 것이더냐?"

"대왕, 식량이 부족하지 않으면 저희 거란이 어인 까닭으로 강대국들을 상대로 약탈을 감행하겠습니까. 저희 유목민들은 살아가는 데 필요한 것 이상을 가지려 하지 않습니다. 헤아려주십시오."

무카사가 청이 하나 더 있다고 고하자 평원왕이 말했다.

"무엇이더냐?"

"거란국 출복부出伏部 왕자, 무카사가 감히 고구려의 공주님께 국혼을 청하옵니다."

평원왕은 불쾌한 표정을 감추지 않았다.

"국혼으로 우리 고구려의 위세를 업고 돌궐에게서 자립하려는 것이더냐?"

"아니옵니다. 왕 중의 왕이신 고구려의 대왕께 어찌 거짓을 고하겠나이까. 저희 거란국은 날로 성장하고 있사옵니다. 말과 양은 살이 찌고 인구는 배 가까이 늘었사옵니다. 이러한 저희 거란국의 힘을 고구려의 대왕께서 인정해 주십사 청하는 것이옵니다. 국혼을 성사시키겠다는 일념으로 먼 길을 쉬지 않고 달려왔사옵니다. 지금당장 군마로 쓸 수 있는 명마 이천 마리를 지참금으로 드리겠사옵니다. 그 지참금과 바꾸고 싶은 것은 단 한 사람이옵니다."

유목민답게 무카사는 솔직하게 답변하였다. 내심 평원왕은 약소국 거란을 깔보고 있었다. 고구려는 유목국가인 거란보다 더 드넓은 땅이 있었다. 고구려의 뒤뜰이라 할 부여의 초원에만 이십여 만 마리의 군마를 기르고 있었다.

"진정하고, 새겨 듣거라. 너희 거란과의 국혼은 돌궐과의 우호관계에 자칫 큰 파장을 불러올 수 있다. 거란국뿐만이 아니라 돌궐, 주나라, 제나라도 우리 고구려와의 국혼을 원하고 있다는 걸 명심하거라. 그리고 공주 평강은 외동딸인지라 멀리 거란까지 시집가는 걸 내가 원치 않노라."

평강을 국혼 시키려 맘먹었다면 진즉에 제나라나 주나라를 사위의 나라로 만들었을 것이다. 돌궐국과의 동맹을 더 강화할 수 있었다. 하지만 평원왕은 평강을 정략 결혼시키고 싶지 않아했다. 공주를 외교에 써먹는 것은 평원왕의 자존심이 아니, 고구려의 자존심이 허락지 않았다.

무카사의 수행원이 국혼을 재고해달라며 애걸복걸하니 평원왕이 진노하였다.

"이 혼사는 불가하다 하지 않았는가."

작심한 듯 무카사가 말했다.

"대왕, 저희 거란은 이제 돌궐의 한쪽 팔이나 다름없사옵니다."

평원왕이 짐짓 노여운 표정을 지었으나 무카사는 물러서지 않았다.

"활쏘기 실력은 세상에서 고구려가 최강이라고, 위대한 고구려의 건국자 동명성왕의 궁술은 으뜸이었다고 들었사옵니다. 제가 감히 저희 거란국의 명예를 걸고 동명성왕의 후예들과 한번 겨뤄보겠사옵니다."

잠깐 생각한 뒤 평원왕이 소리 내어 웃었다.

"지금 활쏘기로 우리 고구려에 내기를 청하는 것이더냐? 그렇다면 내기로 너희 거란은 무엇을 걸겠느냐?"

"제가 이기지 못한다면, 대왕께서 조공을 더 바치라 하시면 더 바치고 노비를 바치라 하시면 노비를 바치겠습니다. 대신, 제가 이기면 평강공주와의 혼인을 허락하여 주시옵소서."

진지하게 평원왕이 상량하였다. 무엄하게도 평강을 걸고 활쏘기 시합을 걸어왔으니 이참에 거란에 본때를 보여주는 게 좋을 듯싶었다. 이 시합을 명분 삼아 공주의 배필을 정하는 것도 나쁘진 않으니, 딱히 거절할 이유가 없었다. 평원왕의 심경이 변할지 모르니 온예가 앞으로 나섰다.

"대왕, 군자는 이기고 지는 데에 내기를 하지 않는다고 하였사옵니다."

북부 막리지 을두노가 끼어들었다.

"성상폐하, 남부 막리지의 말은 하나만 알고 둘은 모르는 것이옵니다.

공자도 활쏘기 시합만은 할 만하다 하였사옵니다. 내기를 받아주시옵소서. 백 마디 말보다 한 번의 경합으로 우리 고구려의 힘을 만천하에 보여주는 것도 외교라 사료되옵니다."

평원왕이 다른 막리지들의 견해를 물었다. 서부의 막리지가 대답했다.

"대왕, 요는 활쏘기 시합이 아닌 줄 아뢰옵니다. 평강공주의 배필을 어찌 활쏘기시합 따위로 정할 수가 있겠사옵니까. 감히 대 고구려의 공주님을 능멸하는 것이옵고 나아가 우리 고구려의 위신이 상하는 일이옵니다. 이는 거란 왕자의 술책이옵니다."

틀리진 않았으나, 평원왕은 이참에 평강을 혼인시키려는 마음이 앞섰다.

"다섯 부에서 평강의 배필로 마땅한 인물을 한 명씩 내세우거라. 그 다섯 명과 거란의 왕자 무카사, 이렇게 여섯 명이 겨루는 시합을 개최하겠다. 그 우승자와 평강을 혼인시키겠노라."

평원왕의 하명에 안학궁 안은 물론 평양성이 들썩였다. 아니 고구려 전체가 술렁이었다.

평원왕이 왕후와 둘째, 셋째왕자와 이야기를 나누었다. 화젯거리는 활쏘기시합 아니, 평강의 혼인이었다. 담소는 차를 여러 잔 마실 정도로 화기애애했다. 평원왕이 다들 물러가라 하고 둘째왕자 고건무만 남으라 하였다.

"태자에게 후사가 없으니 앞으로 네가 가야할 길, 그 제왕의 길 하나를 알려주려 남으라 한 것이다. 우리 고구려의 왕들에게 주어진 가장 큰 임무가 무언지 아느냐? 서책에 쓰여 있는 대로 백성들을 잘 다스리는 게 아니니라. 동명성왕께서 물려주신 이 나라를 온전히 보전하는 것, 이게 제왕의 길이다. 알겠느냐?"

고건무가 고개를 주억거리는 동안 평원왕이 말하였다.

"이번 활쏘기 시합은 무엇이라 생각하느냐?"

"우리 고구려의 위용을 보여줄 경사라 생각하옵니다."

"아니다. 이것은 흉사다. 전쟁이다. 장차 네가 통치할 이 땅에서 적장 한 명과 우리 고구려의 장수 다섯 명이 벌이는 전쟁이단 말이다. 그럼, 누가 유리할 거 같으냐?"

"일대오의 싸움이니 당연히 우리가 이기지 않겠사옵니까. 다섯 부의 그 누군가가 우승하지 않겠사옵니까?"

"그것 또한 아니다. 일견 유리한 듯 보이지만 우리가 불리하다. 왠 줄 아느냐? 내분이 있어서다. 오부에서 선출된 대표들은 지금 자신이 평강을 차지하지 못하면 차라리 거란 왕자가 부마가 되는 게 낫다고 생각하고 있을 게다. 그게 못난 사내들의 싸구려 자존심이라는 것이다. 네가 나서서 적장 무카사가 미래의 네 영토에서 승리하는 걸 막아라. 지켜볼 것이니라."

*

"나가거라!"

처소 밖까지 들려오는 평원왕의 고함소리에 눈을 찔끔거리던 시녀 소운이 아예 귀를 틀어막았다. 평원왕이 내관들에게 평강을 끌어내라고 소리쳤다. 평강이 내대었다.

"대왕, 혼인할 사람은 저이온데, 어찌 의논 한마디 없이 일을 벌이시고 제게 참관하라 명하시옵니까. 저 평강인 활쏘기 시합장에 나가지 않겠습니다."

내관들이 가까이 다가오자 평강이 뒤돌아서서 스스로 걸어 나갔다. 평원왕의 탄식이 방 밖까지 들려왔다. 평원왕의 처소를 돌아보며 평강이 나지막이 한숨지었다. 소운이 다가왔지만 평강은 말없이 걷기 시작했다. 어깨를 늘어트린 채 걷던 평강이 걸음을 멈추었다. 이럴 때 유모라도 있으면 좋으련만, 평강이 하늘을 올려다보았다. 바람을 타고 학 두 마리가 유유히 비행하고 있었다.

유모가 죽은 뒤 평강은 전보다 더 자주 수를 놓았다. 마음을 다스리는 데는 글을 읽는 거보다 나았다. 온달을 생각하다 가끔 바늘에 손가락을 찔리긴 하였어도. 평강이 흑색 비단에 은실로 수놓은 두 마리의 두루미를 바라보았다. 두루미 한 마리가 온달처럼 보였다. 그 옆에서 비상하려는 듯 막 날갯짓을 시작한 두소운이 평강이 상상의 날갯짓 하는 걸 멈추게 했다.

"활쏘기 시합 준비로 난리도 이런 난리가 없습니다요. 대왕께서 너무 하시는 거 아니시옵니까. 세상에서 공주님을 제일 사랑하신다는 말씀도 새빨간 거짓말 같사옵니다."

씁쓸히 평강이 미소 지었다.

"소운아, 내일아침 일찍 마부에게 가보자꾸나. 말을 좀 봐둬야겠다."

당장이라도 울 듯한 얼굴로 소운이 애원했다.

"제 짐작이 맞는다면, 그건 안 되옵니다. 절대 아니 될 일이옵니다. 공주님, 서책에 세상 살아가는 이치 같은 게 들어있다고 하셨잖사옵니까. 수를 그만 놓으시고 어서 서책을 찾아보시어요. 어서요."

평강이 고개를 가로저었다. 소운에게 물러가라 하고 평강이 이불 속으로 파고들었다. 유모의 기다란 머리카락을 풀어놓고 한참 웃고 떠들던 지난날을 떠올렸다.

평강이 유모가 머리를 푸니 열여섯 살 소녀처럼 보인다며 놀리고 들었다. 머리를 풀어헤친 유모는 민망해하며 어쩔 줄 몰라 했다. 유모가 혼인한 여자는 머리를 푸는 게 아니라며 얼른 머리를 손질하였다. 평강이 눈을 동그랗게 뜨자 유모가 말하였다.

"예부터 내려오던 관습이니 따라야지요. 여자가 혼인할 때 머리를 올리는 건 임자가 있다는 표식이옵니다."

"그런 게 어딨어? 자기 맘이지. 그런 관습을 왜들 따르는지 몰라. 혼인한 지 며칠 안 되어 신랑이 죽은 새색시가 있다고 생각해봐. 낭군이 없는데도 계속 머리를 올리고 있어야 하잖아. 관습이 거짓말을 하라고 시키는 거랑 다르지 않잖아."

데릴사위 제도가 따라야 할 관습인지 아닌지 유모가 평강에게 물었다. 평강이 말했다.

"당사자들끼리 짝을 선택하도록 해야지. 평생 함께 살아갈 사람을, 왜 부모가 정해주는 거냐고. 왕가의 경우를 봐, 죄다 정략결혼이잖아?"

"그건, 온달님도 그러시잖아요."

평강이 고개를 저었다.

"그 사람이 내 마음에 안 들었다면 난 아바마마의 뜻을 거슬렀을 거야."

유모가 놀란 눈으로 평강을 바라보았다. 평강의 얼굴에는 그녀만의 강강한 표정이 서려있었다.

미리 말해둔 대로 날이 밝자마자 평강이 시녀를 거느리고 마구간을 찾아갔다. 공주의 등장에 마부들의 우두머리가 대령했다. 평강이 소운에게 주위를 살피라 하였다. 소운이 십여 보쯤 떨어져 망을 보았다. 평강이 마부에게 말했다.

"네 이름이 무무이无舞伊가 맞느냐?"

"그러하옵니다만, 미천한 소인의 이름을 어찌 공주님께서 아시는 것인지요?"

"내가 좋은 말 한 마리를 원하는데, 네가 제일 말을 잘 본다더구나. 어느 말이 최고의 말이냐?"

마부가 저기 까만 비류라는 말이라고 하자 평강이 다시 물었다.

"그럼 저 말을 내가 사겠다. 내가 후한 값을 쳐줄 테니, 저 말을 달포 뒤 장날에 마馬 시장에 내다팔아라."

"공주님, 그건 곤란합니다요. 공주님께서 저 말을 타고 다니시는 거야 누가 뭐라하겠습니까만, 시장에다 함부로 팔 순 없습니다요."

마부가 머뭇거리자 평강이 말했다.

"저토록 좋은 말을 공주인 내가 타는 게 좋겠느냐? 아니면 전장에서 적과 싸울 우리 고구려의 군사가 타는 게 낫겠느냐?"

당연히 군사가 타는 게 나을 테지만, 속내를 쉬이 드러내지 못하고 마부가 식은땀을 흘렸다. 평강이 말했다.

"저런 명마를 내가 타고 다닐 필요는 없지 않겠느냐?"

"그걸 아시면서 어찌 저 말을 시장에다 팔라 하시는 겁니까요?"

"그걸 아니까 저 말을 시장에다 팔라는 거다. 지금당장 저 말을 데려가 내가 타고 다닐 수 있지만, 나는 저 말을 장차 우리 고구려의 명장이 될 사람이 타는 걸 보고 싶구나."

"그 명장이 누구입니까요?"

"오래지않아 알게 될 것이다."

평강이 마부에게 손을 앞으로 내밀라고 하였다. 마부가 손을 내밀자 평강이 그의 손에 금팔찌 한 개를 쥐어주었다.

"무무이, 이건 내가 그냥 타고 다녀도 될 저 말의 값이 아니다. 이 팔찌는 고구려를 위하는 네 마음이 고마워서 이 나라의 공주로서 네게 내리는 상이다. 무슨 뜻인지 알겠느냐?"

마부가 평강의 뜻에 따르겠노라 다짐하고 또 다짐했다. 평강이 한 가지 당부를 더했다. 말발굽을 다루는 대장장이한테 이야기해서 평강의 금팔찌 수십 개를 그녀가 팔에 찰 수 있도록 지름을 조금씩 늘여달라는 것이었다. 알겠다고 하면서도 마부가 고개를 연신 갸웃거렸다.

처소로 돌아오는 길에 평강이 소운에게 저녁상을 차리지 말라 하였다.

초췌한 얼굴로 사람들 앞에 나타나는 게 나을 거 같았다. 내일은 활쏘기 시합 날이었다.

평강이 다녀간 마방 너머 궁궐 담벼락을 비롯한 평양성 곳곳에 활쏘기 시합을 알리는 방이 나붙어 있었다. 백성들이 활 잘 쏘는 사람을 공주의 배필로 삼는다며 수군거렸다. 하지만 활만 잘 쏜다고 공주의 배필이 될 수 있는 것은 아니었다. 집안이 좋아야만 했다. 후보들은 하나같이 다 떵떵거리는 가문 출신이었다.

활쏘기 시합 방을 본체만체하고 온달은 형제들과 함께 사냥을 갔다. 온달의 형제들, 그들은 온달이 궁궐에서 쫓겨났을 때 만난 비렁뱅이 아이들이었다.

*

568년.

네 명의 비렁뱅이 어린애들이 그들 또래인 온달을 빙 둘러 섰다.

길바닥에서 늘어지게 자고 있는 온달을 우마리又麻里는 발로 툭툭 차보았다. 여자애인 지아루只亞婁는 쪼그려 앉아 온달이 걸친 화려한 비단 옷을 만져보았다. 아이들 중 가장 키가 큰 홍이弘夷는 팔짱을 낀 채 온달을 노려보았다. 이 녀석 죽은 거야? 두치豆齒가 온달의 숨소리를 들어보려는 순간 온달이 눈을 떴다. 코앞에 있는 두치의 얼굴을 본 온달과 두치 둘 다 깜짝 놀랐다. 두치가 온달에게 말했다.

"너는 누구냐?"

"넌 누구기에 어찌하여 나를 몰라보는 것이더냐?"

어이없다는 듯 두치가 다른 아이들을 쳐다보았다.

"넌 어디서 굴러온 거지냐?"

"난 거지가 아니니라."

"근데, 왜 길에서 자고 있는 거냐?"

온달이 주위를 두리번거리다 흙이 묻은 제 옷을 살펴보았다. 두치가 온달에게 말했다.

"우리끼리니까 솔직히 말해봐. 너, 이불에다 오줌 싸서 집에서 쫓겨났지? 집이 어디야? 우리 부탁 하나 들어주면 집에 데려다 줄게. 말해봐."

온달이 고개를 갸웃거렸다.

"집? 우리 집은 여기선 꽤 머니라. 색시네 집은 저기니라."

온달이 가리키는 안학궁으로 아이들의 시선이 향했다.

"저기 궁궐? 그럼, 고구려 땅이 다 내 땅이다, 이 덜떨어진 놈아!"

"어, 아니니라. 저 안학궁은 평강 색시 아버지 것이니라."

홍이가 온달의 뒤통수를 한 대 쳤다. 아이들 모두가 깔깔거렸고 온달은 아이들을 따라 실없이 웃었다. 궁궐에서 고이고이 자란 어린 온달의 행동거지 하나하나, 한마디 말조차 아이들의 비웃음을 샀다. 홍이가 정색하며 온달의 정체를 물었다. 온달이 웃음을 뚝 그쳤다.

"난, 부마니라."

"부마? 흠, 감히 우리 구역을 침범한 네놈 이름이 부마란 말이렸다."

우마리가 홍이의 머리를 쥐어박았다.

"이런 모자란 놈. 부마란 부마도위를 말하는 거야. 부마도위란, 대왕님의 사위를 일컫는 말이다."

우마리가 으스대었다. 그런 우마리를 보고 온달이 고개를 크게 끄덕이었다.

"혹시 내 이름을 물은 것이더냐? 난 온달이니라."

두치가 온달의 어깨에 손을 얹었다.

"그래, 온달. 내 그럴 줄 알았지. 나는 네 녀석이 온달일 줄 알았어."

온달이 그를 알아보는 사람이 있다며 반색했다. 갑자기 두치가 깔깔거렸다.

"알긴. 처음 본 널 어떻게 알겠어. 장난 한번 친 거다. 이 바보야."

한참 웃던 두치가 제 배를 쓰다듬었다.

"애들아, 이제 재미도 없고 시간도 아깝다. 그만 놀고 이제 밥 얻으러 가자."

다른 애들이랑 몇 걸음 뛰어가다 지아루가 뒤돌아섰다. 온달의 이름을 부르며 그에게 오라고 손짓을 하였다. 다른 아이들도 멈춰 온달을 뒤돌아보았다. 우마리가 뭔가 생각난 듯 씩 웃더니 홍이에게 수군거렸다. 홍이가 온달에게 손짓을 했다.

"야, 바보. 배고프면 따라와."

온달이 안학궁을 한 번 쳐다보았다. 온달이 자리에서 일어나 애들한테 뛰어가 그 무리에 합류하였다.

온달을 비롯한 거지 아이들이 폐가나 다름없는 허름한 초가집 마당에 들어섰다. 집안을 둘러본 온달이 눈살을 찌푸렸다.

"이런 데서 산단 말이더냐. 엄마아빠도 없이. 하긴, 나도 부모님과 떨어져 산다만. 근데, 너희들은 부모님이랑 왜 떨어졌느냐?"

온달이 바보 같다며 아이들은 속으로 비아냥거리며 영 못마땅해 했다. 하지만 온달은 아이들이 원하는 것을 가지고 있었다. 우마리가 온달에게 옷을 좀 벗어보라고 하였다. 온달이 흙이 묻은 제 옷을 보며 고개를 끄덕였다. 온달은 아이들이 그의 옷을 빨아주려는 거라 여겼다.

온달이 제 옷을 벗기라는 듯 팔을 벌리자 아이들이 우르르 달려들어 옷을 벗기었다. 순간 지아루는 온달의 왼쪽 어깨에 있는 북두칠성 모양의 점 일곱 개를 보았다. 온달의 옷을 갖고 홍이가 다른 아이들이랑 집 밖으로 뛰어갔다.

오래지 않아 홍이를 비롯한 아이들이 먹을 것을 잔뜩 가져왔다. 지아루가 양 손에 음식을 들고 왼손에 든 걸 한입 먹고 오른손에 든 것을 한입 먹었다. 우마리는 입안 음식으로 볼이 튀어나왔고 두치는 만두를 허겁지겁 먹다 목이 막혔는지 가슴을 탁탁 쳐댔다. 온달은 배는 고팠지만 이상하게 식욕이 일지 않았다. 홍이가 큼지막한 돼지고기 한 점을 집어 온달에게 건네주었다. 고기 맛은 궁궐에서 먹던 것과 그다지 다르지 않았다. 아이들의 손이 음식과 입을 부지런히 오고가는 새 음식이 빠르게 줄어들었다. 두치가 아이들에게 며칠 굶어도 끄떡없겠다고 하였다. 식사가 끝나자 홍이가 옆에 있는 누더기 옷 한 벌을 온달에게 내밀었다. 고개를 가로젓는 온달에게 지아루가 말하였다.

"이 바보, 네 옷하고 방금 우리가 먹은 음식하고 바꾼 거야."

온달의 어깨를 툭툭 치며 두치가 말하였다.

"오늘 신세진 거 반드시 갚는다. 이거 빈말 아니다. 애들아, 뭐해? 온달이 덕분에 뱃속이 오늘 최고로 호강했는데 적어도 고맙다는 말은 해야지 않겠냐."

아이들이 합창하듯 온달에게 고맙다고 했다. 온달이 쑥스러운 듯 머리를 긁적이었다. 훗날 두치는 그의 말이 빈말이 아니었음을 온달에게 보여주었다.

다음날부터 온달은 아이들을 따라다니며 구걸하는 법을 배웠다. 온달과 아이들이 평양성에서 꽤 멀리 떨어진 마을에 들어섰을 때였다. 어디선가 날아온 돌멩이가 홍이의 가슴에 맞고 바닥에 떨어졌다. 가슴을 움켜쥐며 홍이가 신음소리를 내었다. 아이들이 사방을 두리번거렸다. 마을 아이들이 온달 일행에게 손가락질을 하고 있었다.

"약오르지롱."

"우리 마을에서 꺼져! 이 거지 새끼들아."

온달과 아이들이 고함을 지르며 달려오자 마을 아이들이 뿔뿔이 흩어져 도망갔다. 지아루가 흐느끼자 서로 시선이 마주친 아이들이 손등으로 눈물을 훔치었다. 고개를 숙인 온달의 눈가에 눈물방울이 맺혔다.

어느 날 지아루가 온달에게 동성산東聖山에 가자고 하였다. 온달은 망설이지 않고 지아루를 따라나섰다. 안학궁이 동성산 기슭에 자리하고 있어서였다.

동성산으로 가는 길목에 저잣거리가 있었다. 지아루와 함께 길을 가던 온달이 과일을 파는 수레 앞에 멈춰 섰다. 석류, 사과, 배, 감, 과일들을 물끄러미 바라보았다. 과일 장수가 멍하니 서 있는 온달과 입맛을 다시는 지아루를 쳐다보았다.

온달이 입을 벌리고 있는 그에게 평강이 단감을 먹여주는 모습을 떠올렸다. 갑자기 온달이 단감 한 개를 냉큼 집어 들고 뛰어갔다. 과일 장수가 도둑이라 외치는 소리가 점점 작아졌다.

달려가다 지친 온달이 가쁜 숨을 내쉬었다. 온달을 뒤따라온 지아루가 그의 한쪽 어깨를 붙잡으며 헉헉거렸다. 온달이 지아루를 향해 고개를 돌렸다. 지아루가 온달에게 어디로 가는 거냐고 물었다. 온달이 손으로 가리킨 곳은 저 멀리 안학궁이었다. 온달의 얼굴을 빤히 쳐다보던 지아루가 입을 실룩이었다.

"근데, 온달아. 네 색시가 그 감을 좋아할까?"

온달이 무슨 영문인지 몰라 지아루를 빤히 바라보았다. 지아루가 말하였다.

"훔친 감을 좋아하겠냐 말야."

온달이 감을 땅에 버리려 하자 지아루가 어이없다는 듯 온달의 머리를 쥐어박으려는 시늉을 했다.

"이 바보야, 우리가 보통 백성인 줄 알아! 우린 법을 지킬 필요 없는 비렁뱅일 뿐이야. 근데, 진짜 중요한 건 살아남기 위해선 우린 더한 짓도 해야 한다는 거야."

지아루를 뒤따라 서서히 발걸음을 옮기던 온달이 궁궐을 돌아보았다.

아무도 보이지 않는데도 온달이 그 누군가에게 손을 흔들었다. 집으로 돌아가는 길에 지아루는 온달의 말과 행동을 되새겨보았다. 온달의 말투와 행동거지는 그녀와도, 다른 아이들과도 판이하게 달랐다. 지아루가 온달에게 말했다.

"너 글을 알고 있지?"

"그만 걸 왜 묻느냐? 너는 글을 모르는 것이더냐?"

어느 날 지아루가 두치에게 온달이 글을 알고 있다는 걸 귀띔했다. 말갈족인 두치는 글을 몰랐다. 하기는 말갈족이 아닌 홍이, 우마리, 지아루 모두 다 까막눈이었다. 비렁뱅이 짓을 하느라 배우지 못한 탓이었다.

고구려 사람들은 말몰이꾼조차도 글 모르는 것을 부끄러워했다. 해서 아이들은 나이를 먹어갈수록 하루빨리 글을 배우고 싶어 했다. 제일먼저 두치가 온달에게 글을 가르쳐달라고 부탁했다. 그러자 우마리와 지아루도 배우겠다고 했다. 우두머리 노릇을 하던 홍이는 마뜩하지 않았지만 다른 애들이 배우겠다는 걸 말릴 수는 없었다.

온달이 책이 필요하다며 경당에 다녀오겠다고 길을 나섰다. 그런데 채 반식경도 지나지 않아 온달이 되돌아왔다. 아이들이 온달에게 책은 어찌 됐냐고 물었다. 온달이 손으로 제 머리를 가리켰다.

"여기 들어 있다는 걸 깜박했어."

아이들이 온달의 머릿속에 글자가 몇 개나 들어있는지 물었다. 온달이 아마 오천 개쯤은 될 것이라 하였다. 오천 개? 아이들이 손가락을 폈다 쥐었다 하면서 셈을 해보았다. 지아루가 온달에게 말하였다.

"그런데 넌 부모님이 있는 거 같은 눈친데, 왜 부모님을 만나러 안 가?

혹시, 무슨 사연이라도 있는 거야?"

홍이가 온달에게 물었다.

"뭔 일인지 모르지만 사람들한테 물어서라도 찾아가야 되는 거 아냐?"

"어찌해야 하는지 판단이 서질 않는구나. 저기 남쪽 멀리 신라하고도 백제하고도 가까운 곳, 낭비성인데 가는 게 맞겠느냐?"

낭비성? 우마리는 얼마 전에 저잣거리에서 낭비성 성주가 죽었다고 얼핏 들은 것 같았다. 우마리가 그 사실을 온달에게 터놓았다. 온달은 그 자리에 더 이상 서 있지 못했다.

쓰러진 온달은 죽은 듯 잠을 잤다. 온달이 비명을 내지르며 잠깐잠깐 눈을 떴다가 다시 자리에 누웠다. 날이 밝았는데도 잠에서 깨어나지 못하고 어머니, 어머니, 신음소리를 내던 온달이 벌떡 윗몸을 일으키었다. 멍한 눈으로 아이들의 얼굴을 쳐다보다 그대로 쓰러졌다. 그런 온달을 지켜보던 지아루가 울면서 방 밖으로 뛰쳐나갔다. 아이들이 온달의 이마와 볼을 만져보았다. 뜨거웠다. 먹을 것도 부족한 형편인 아이들에게 딱히 다른 방법이 떠오르지 않았다. 아이들이 약방에서 약을 훔쳐와 온달에게 먹였다.

기력을 되찾은 온달은 평양을 싸돌아다녔다. 갑옷을 입은 군사들을 찾아 계속 주위를 두리번거렸다. 온달이 길을 가는 군사를 보고 그를 향하여 부리나케 뛰어갔다. 군사의 앞길을 막아서고 낭비성 성주가 전사했는지 물었다. 군사가 성주가 전사했다고 하였다. 온달이 고개를 숙이고 입술을 깨물었다. 성주의 부인은 어찌 되었는지 온달이 다시 물어보았다. 군사가 살았는지 죽었는지 모른다며 무뚝뚝하게 대답했다.

집을 향하는 내내 온달은 곰곰이 생각했다. 어머니가 죽었다는 소식이 없으니 살아있을지도 몰랐다. 온달이 아이들에게 낭비성으로 가겠다고 했다. 지아루가 헤어지지 않기로 했으니까 혼자 가는 건 안 된다고, 지금 헤어지면 영원히 만나지 못할지도 모른다며 울먹였다. 잠시 동안의 침묵을 깬 것은 두치였다.

"낭비성까지 가면서 밥은 어디서 먹고 잠은 어디서 자?"

우마리가 손가락으로 두치를 가리켰다.

"참나, 야, 두치. 우리 꼬락서닐 봐. 우린 여기 있으나 어디가나 매한가지야."

날씨가 춥지 않아 잠자리 걱정은 덜었다. 길을 가다가 들르는 고을에서 외양간이나 마구간에서 묵어도 될 것이었다. 마을에서 제일 잘산다는 집에서 품을 좀 팔면 끼니를 때우고 다음날 먹을 것까지 얻을지도 몰랐다.

아이들이 곧장 길 떠날 채비를 하기 시작했다. 겨울에 먹으려고 창고에 저장해뒀던 밤과 도토리를 꺼내 저자에서 육포와 어포와 맞바꾸었다. 소금에 절인 음식들보다 가벼워서 그리하였다. 비상식량으로 육포나 어포같이 말린 음식들을 보따리에 챙기자 더 이상 꾸릴 짐이 없었다.

나룻배를 타고 한강 물줄기를 거슬러 올라가면 을아단乙阿旦이 있었다. 두메 가운데를 흐르는 강 연안에는 아기자기한 들판 사이사이에 우뚝하게 솟아난 석벽이 사뭇 많았다. 가파른 암벽은 우거진 나무로 덮여 있었고 그 아래에 자리한 물은 거울같이 맑았다. 강가에는 기암괴석들이 단비가 내린 뒤 돋아난 버섯인 듯 올망졸망 늘어서 있었다. 도담島潭 사방에 모인 강물은 깊고 넓게 휘돌았다. 물 가운데 제법 큼지막한 바위 봉우리 셋이 섬 같이 각각 떨어져 있었다. 온달은 도담삼봉을 자꾸 뒤돌아보았다. 가운데 주봉 곁의 처연한 봉우리는 온달 자신 같았고, 북쪽의 다소곳한 봉우리는 평강 같았다. 물안개가 걷혀가는 강물은 동서남북이 헷갈릴 정도로 을아단을 크게 굽이쳐 흘렀다.

잡은 물고기로 뱃삯을 치르고, 나룻배에서 내린 아이들은 주민들에게 물어물어 온지추의 묘를 찾아 길을 헤맸다. 어느 순간 두치는 기다란 나무 막대기를 보았다.

"애들아, 여기 온달이 이름에서 봤던 글자가 있어."

아이들이 두치 쪽으로 우르르 몰려갔다. 온달이 무덤 앞에 서 있는 기다란 나무를 바라보았다. 나무에 새긴 뒤 검게 채색한 溫智秋라는 글자가 있었다. 온달이 털썩 무릎을 꿇었다. 아이들이 온달을 따라 무릎을 꿇었다. 온달이 목이 메어 흐느꼈다. 아이들이 온달을 따라 아버지를 부르며 눈물을 흘렸다.

바람이 없는 동굴 안은 춥지 않았다. 아이들은 마을사람들이 일러준 대로 동굴에서 하룻밤 묵어갈 요량이었다. 들짐승과 산짐승을 피하려 마른 나뭇가지들을 잔뜩 모아다 놓고 모닥불을 피웠다. 아이들이 모닥불 앞에 옹기종기 모여 앉았다. 먼저 홍이가 입을 열었다.

"아까 태어나서 처음으로 그 이름을 불러봤어. 아버지. 가슴이 막 뜨거워져서 혼났어. 아버지를 소리 내어 불렀다는 게 꿈만 같아."

기나긴 여정을 마친 아이들은 달라졌다. 살아있지 않았어도 아버지가 생겼다. 여행하는 동안 어른들이, 세상 사람들이 서로 같지 않다는 것도 깨우쳤다. 이토록 넓은 세상에서 살아가려면 나이어린 그들은 지난날보다 더 뭉쳐야 했다.

3. 궁궐 밖 신세계로

열다섯이 넘은 온달은 더 이상 어린애가 아니었다. 훗날을 도모하려면, 아버지의 원수를 갚으려면 무언가 일을 해야 했다. 온달이 방문을 열고 나와 주위를 살폈다. 마루 앞에 놓여있는 디딤돌을 옮기고 흙을 파냈다. 흙 속에 묻혀있던 보자기가 드러났다. 그를 살리고 죽어간 유모가 건네준 것이었다. 온달이 보자기를 품속에 감추고 길을 나섰다. 온달이 너럭바위에 당도하고 나서 잠시 뒤 어슬렁어슬렁 우마리가 나타났다. 우마리가 온달 옆으로 와서 앉았다.

"왜 여기서 보자는 거야? 것도 둘이서만?"

온달이 품속에서 보자기를 꺼내 우마리 앞에 내밀었다. 우마리가 보자기를 풀자 패물이 드러났다. 우마리의 눈이 휘둥그레졌다. 온달이 이 패물을 장사 밑천으로 삼으라 하고 한마디 덧붙였다.

"우리 형제들 배터지게 먹이겠다는 약속 잊지 마라."

우마리가 당장 가게를 알아봐야겠다며 발걸음을 옮겼다. 평소처럼 터벅

터벅 걷지 않는 씩씩한 발걸음이었다. 우마리의 뒷모습을 바라보던 온달이 그의 뒤를 따라가기 시작했다.

저잣거리에서 우마리가 곡물가게를 엿보고 있었다. 바짝 곁으로 온달이 다가서자 우마리가 깜짝 놀라했다.

"뒬까봐 미행한 거냐?"

"그럴 거면 왜 주냐? 저 가게가 맘에 드냐?"

"응, 장사가 제법 된다는 가게인데 진짜 장사가 잘 되는지 며칠 더 지켜볼 거야."

온달이 고개를 끄덕였다. 허기지다며 온달이 밥 먹으러 가자고 했다. 웃으면서 우마리가 말했다.

"벌써 밥 먹을 때가 됐어? 근데 난 왜, 배가 하나도 안 고프지?"

집으로 돌아온 우마리가 곧 장사를 시작할 거라는 사실을 다른 이들에게 터놓았다. 잔뜩 들뜬 형제들의 모습을 온달은 묵묵히 바라보았다. 며칠 뒤 우마리가 가게를 차린다는 소식을 듣고 온달모가 온달을 찾아 불렀다.

"혹시, 공주의 유모가 준 패물로 차린 것이더냐?"

온달은 소스라치게 놀랐다. 실명을 했는데도 온달모는 오히려 천리안이라도 되는 듯 그간의 정황을 꿰고 있었다.

"유모가 바보 노릇하라고 시키더냐?"

온달은 더 이상 과거를 숨기지 못하고 그간의 사정을 온달모에게 터놓았다. 온달모가 말했다.

"고맙긴 하지만 평강의 유모에게서 도움을 받았다 해서 마음이 약해지면 안 된다. 대왕과 평강에게서 내쳐진 것을 잊지 말거라. 보란 듯이 출세해라. 그것이 그들에 대한 복수이고, 네 아버지의 복수이기도 한 것이야. 네가 공주의 배필이 되지 못해 배 아파 이러는 게 아니란 걸 명심하거라."

온달은 대답하지 않았다. 온달 모자 사이로 차가운 기운이 휘돌았다. 바람을 좀 쐬겠다며 집을 나간 온달이 너럭바위에 올랐다. 홍이가 뒤를 밟다가 숨어서 온달을 살피었다. 온달이 생각에 잠긴 채 바위 근처 나무 아래 털썩 주저앉았다.

평원왕의 비호 때문인지 그 무엇 때문인지는 몰라도, 온달을 해치려드는 움직임이 잦아들은 듯싶었다. 눈 먼 어머니를 더 이상 실망시켜드릴 수 없었다. 이만 바보노릇 끝내겠노라 결심하고, 온달이 활을 집어 들며 벌떡 일어났다. 아름드리나무를 향해 화살을 날렸다. 한 발 한 발 나무에 명중시킨 화살들이 고슴도치 가시 같았다. 온달이 마지막으로 쏜 화살이 나무를 비껴가자 온달이 화살 다섯 개를 한꺼번에 활에 재어 미친 듯이 화살을 쏘아대었다. 땅에 온달이 무릎을 꿇고 허공을 향해 포효했다. 바닥에 두 손을 짚으며 엎어지는 온달을 먼발치에서 지켜본 홍이의 심정은 착잡했다. 홍이가 온달을 불렀다. 온달이 소리가 난 쪽으로 천천히 고개를 돌렸다.

"뒤를 밟은 게야?"

"미안하다."

"이제부터 시작이니, 당분간은 비밀이다."

"그동안 활솜씨가 많이 늘었구나. 그 정도 실력이면 이제 나도 상대가 안 되겠는걸."

홍이에게 내색한 것 이상 온달의 심정은 착잡하였다. 잊겠다고 다짐했어도, 활쏘기시합 날이 바로 오늘이었다.

안학궁은 도깨비 모양 귀면와와 거대한 치미가 멋있었다. 궁성 안에는 쉰 개가 넘는 화려한 궁전들이 회랑으로 연결돼 있었다. 동명성왕의 신위를 모신 구제궁九梯宮과 유화부인의 석상을 모셔놓은 동신성모지당이 우뚝 솟아있었다.

새까맣던 밤하늘이 새벽닭 소리와 더불어 희붐해졌다. 575년 그 운명의 날은 여느 날과 달랐다. 새벽녘에도 활쏘기 시합을 준비하는 안학궁 내관과 시녀들의 손길과 발놀림이 분주했다. 이른 아침부터 활터에 구경꾼들이 모여들기 시작했다. 무카사와 각 부의 대표들이 나타났고 막리지들과 왕족들이 자리했다. 마지막으로 평원왕과 왕후가 연단에 올라 마련된 좌석에 앉았다. 그런데 임자가 없는 의자가 두 개가 있었다. 평강과 태자의 자리였다. 시작 시각이 지났는데도 시합을 하지 못하는 건 평강 탓이었다.

수많은 관중이 지켜보는 가운데 평원왕이 분노를 터뜨렸다. 평원왕이 이렇듯 뿔이 난 모습을 드러내는 것은 처음이었다. 그만큼 평강을 사랑한다는 반증일지도 몰랐다. 수백 명의 내관들이 일제히 평원왕 앞에 무릎을 꿇고 머리를 조아렸다. 평원왕이 평강을 데려오라며 엄명을 내렸다. 내관들이 우르르 평강의 처소로 몰려갔다.

평원왕의 화가 극에 달할 무렵 몸단장을 마친 평강이 거동하기 시작했다. 평강은 훗날 온달과 혼례 때 입으려 직접 수놓은 예복 차림이었다. 내

관이 부리나케 달려와 평원왕에게 평강공주가 오고 있다고 보고를 올렸다. 평원왕이 의자에서 일어나 평강의 처소 방향만을 바라보았다. 사람들이 평원왕의 시선을 따라 그쪽을 바라보았다. 평강이 보이자마자 평원왕은 불편했던 심기가 말끔히 가셨다. 여기저기서 평강의 자태를 칭송하는 소리가 들려오니 평원왕이 표정이 더 밝아졌다. 한참동안 사람들은 평강에게서 눈을 돌리지 못하였다. 무카사와 각 부의 대표들도 평강에게서 한시도 눈을 떼지 못했다. 평원왕후만이 평강 곁의 태자를 보고 휙 고개를 돌렸다.

평강과 나란히 걸으며 태자가 말하였다.

"부왕께서는 안학궁에서 어린 널 품에 안고 정사를 돌보셨다. 막리지들을 비롯한 신하들이 불가하다며 난리였는데도 그 뜻을 굽히지 않으셨지."

"사람들이 원하는 걸 헤아리는 일이 정치 아니겠습니까. 아바마마께선 제가 원하는 게 뭔지 잘 알면서도 저러하시옵니다."

태자가 잠시 평강의 얼굴을 쳐다보았다.

"온달이 달라진 거 같다 들었는데, 괜찮겠느냐?"

"그 사람이 달라지는 거보다 바위가 흙이 되는 게 빠를 거라 믿사옵니다. 고마웠습니다. 오라버니."

"몸조심 또 몸조심 하거라. 내 마음 같아서는, 다다음 왕위는 네게 물려주고 싶구나."

"오라버니, 제가 왕위를 받아서 온달 그 사람에게 주면 어쩌시려고요?"

태자에게 웃음을 보이고 평강이 평원왕에게 다가갔다. 평강이 허리를 숙여 평원왕에게 절을 하였다. 그녀의 속내를 모르는 평원왕이 환하게 웃었다. 평강이 평원왕에게 오늘의 승자에게 벼슬을 내려달라고 청한 뒤 한마디 더했다.

“제게 부마도위는 단 한 분이니, 다른 벼슬을 내려달라 청하는 것이옵니다.”

온달을 향한 평강의 심지가 금강석보다 강강한 듯싶었다. 평원왕은 표정이 굳었고 평강은 입을 야무지게 다물었다. 한소리 하려고 입을 씰룩거리던 평원왕이 자리가 자리이니만큼 평강에게서 눈을 떼었다. 도도하게 걸어가며 평강이 사람들을 굽어다보았다. 연단 위로 올라 의자에 앉았다. 평원왕이 손을 들어 활쏘기 시합의 개막을 알렸다. 흥겨운 가락과 노랫소리가 안학궁에 울려 퍼졌다.

곧 무카사와 서부출신 고탄高灘의 최후의 승부가 펼쳐질 참이었다. 무카사가 고탄을 보고 짐짓 여유 있는 표정을 보이자 고탄도 무카사에게 미소로 화답했다.

팽팽하게 진행되던 시합은 한순간에 균형이 무너졌다. 고탄이 실수를 해서였다. 무카사가 이겼다는 확신으로 손을 들어 보였다. 고탄이 질 거 같아지자 고구려인이 하나같이 안절부절못했다. 들썩거리는 거란 사신단과 달리 고구려인은 입술에 침을 발라야 했다. 웅성거리는 사람들 틈에서 평원왕 또한 당황하는 기색이 역력하였다.

평강은 고탄보다는 차라리 거란의 왕자가 이기는 게 나을지도 모르겠다고 생각하였다. 그러면 혼인 약속을 지키지 않아도 아버지 평원왕이 덜

민망할 것 같았다.

둘째왕자 고건무가 자리에서 벌떡 일어나 시종에게 다가가 그를 질책하였다.

"어찌 저리 멀쩡할 수 있단 말이냐? 이대로 무카사의 승리로 끝난다면, 부왕의 진노를 어찌 감당하란 말이냐."

"송구합니다요. 약효가 늦게 나타나나봅니다요. 의원이 사물의 형체가 흔들릴 거라 하였사옵니다. 아, 저것 보십시오."

마지막 화살만을 남겨둔 무카사가 멈칫하고 있었다. 과녁이 두 개로 보이고 기운도 점점 빠지는 거 같았다. 무카사는 정신을 가다듬었다. 기운이 더 빠지기 전에 화살을 날리는 게 나을 듯싶었다. 허공을 가른 화살은 과녁을 빗나가고 말았다. 이어 모든 이의 이목이 쏠린 가운데 고탄이 마지막 화살을 쏘았다. 화살이 고탄의 활시위를 떠나자마자 모두 자리에서 일어났다. 신호수가 화살이 관중했음을 알리는 붉은 깃발을 흔들었다.

이 비겁한 고구려 놈들, 무카사는 심사가 트레트레 뒤틀려갔다.

고탄이 일약 고구려의 영웅으로 떠오른 순간 평원왕이 환하게 웃었다. 수심을 말끔히 지운 얼굴로 평원왕이 고탄을 쳐다보았다.

"고탄, 오늘 시합의 우승자는 서부의 고탄이다. 이로써 고탄이 공주 평강의 정혼자가 되었노라."

고탄을 거들떠보지도 않고 평강이 평원왕 앞으로 나아갔다.

"지난날 대왕께서 온달의 아내가 되어 오랫동안 행복하게 살라고 하셨사옵니다. 이제 무슨 까닭으로 전날의 정혼자를 바꾸시옵니까? 필부도 거짓말을 안 하려 하는데 하물며 지존께서 어찌 실없는 소리를 하시옵니까. 지금 대왕의 명이 잘못되었으니 소녀는 감히 받들지 못하겠사옵니다."

공손하게 평강이 머리를 조아렸어도, 수많은 왕족과 귀족이 함께한 마당이었다. 고구려 대왕의 위신이 말이 아니었다.

"시끄럽다. 듣기 싫으니 물러가라."

평강이 고탄에게 말하였다.

"서운하다 생각지 마세요. 그대와 혼인하지 않는 건 그대를 미워해서가 아닙니다. 지난날의 데릴사위와 혼인하지 말라는 대왕의 말씀은 오늘의 우승자인 그대를 제쳐놓고 탈락자와 혼인하라는 하명이나 마찬가지입니다. 제가 그대가 아닌 딴 사람과 혼인하겠다고 하면 어찌하겠습니까?"

평강의 조리 있는 말에 고탄은 대꾸하지 못하였다. 그토록 평강이 행복하기만을 바랐건만, 평원왕의 고명딸에 대한 서운함은 분노로 바뀌었다.

"네 마음이 정 그렇다면 어찌 함께 살 수 있겠느냐. 너는 내 딸이 아니다. 궐 밖으로 나가 네 갈 길로 가거라. 이 궐 안의 그 어떤 물건도, 흙 한 줌도 밖으로 가지고 나가지 못할 것이니라."

평원왕은 부녀지간의 인연을 끊기로 결심했다. 마침내 공주의 작위를 박탈하고 평강에게 출궁을 명하였다. 평강이 평원왕을 향하여 중얼거렸다.

"불효를 용서하십시오."

여기까지는 평강이 예상했던 대로였다. 하지만 그녀는 온달과의 혼인에 또 다른 장벽이 있는 줄은 몰랐다.

*

방 안으로 들어서자마자 평강이 오색으로 곱게 물들인 저고리를 벗었다. 미리감치 마련해둔 금팔찌 수십여 개를 시녀 소운이 평강의 양팔에 차례차례 끼웠다. 울먹이면서도 소운은 부지런히 손길을 놀렸다. 지체할 시간이 많지 않을 터였다.

평강의 예상은 빗나가지 않았다. 혼사 날 공주의 대례복을 평강이 막 차려입었을 때였다. 안학궁 내관이 평원왕의 분부라며 공주님을 모시러 왔다고 방밖에서 큰소리로 고하였다. 말이 모시는 것이지 한시도 지체하지 말고 궐 밖으로 나가라는 압박이나 다름없었다. 금팔찌와 예복을 미리미리 장만해두길 잘하였다는 생각이 들었다. 안도의 숨을 내쉰 평강이 소운을 바라보았다. 소운이 옷소매로 그렁그렁한 눈물을 훔치었다.

평강이 궁궐에 남을 것인지 아닌지 소운에게 물어 그녀에게 운신의 여지를 주었다. 소운이 며칠의 말미를 달라고 하자 평강이 그녀의 심정을 이해한다는 듯 고개를 끄덕이었다. 소운은 머지않아 궁궐 밖에서 만날 수 있을 것이었다. 평강과 소운은 어렸을 적부터 매일매일 말을 주고받은 사이였다. 공주와 시녀라는 신분 차에도 그녀들 흉금에는 서로 넘지 못할 장벽은 없었다. 의자에서 일어서는 평강의 여윈 몸이 휘청거리었다. 팔뚝에 잔뜩 두른 금팔찌 탓이었다. 그녀는 자꾸만 움츠려들려는 어깨에 힘을 주어야했다.

마침내 평강이 걸음을 내디디었다. 낭군을 만나러 가는 길이었지만 마음이 가뿐하지는 않았다. 궁궐 문을 나서는 순간 평원왕의 말마따나 그녀는 공주가 아니었다. 그녀 앞에 보장되어 있는 것은 하나도 없었다. 시어머니는 말 할 것도 없으려니와 옛 낭군 온달조차 그녀를 받아줄지 장담치 못하였다. 유모가 살아있었더라면 미리 기별이라도 해두었을 터였다. 오늘따라 유모의 빈자리가 커 보였다. 약해지려는 마음을 평강은 다잡았다.

무거운 마음에 몸도 한층 무거워진 터라 평강은 발걸음이 터덕거리기 일쑤였다. 으리으리한 우마차까지는 아니더라도 말이라도 타고 갈 수 있으면 좋으련만. 그나마 다행인 점은 안학궁 남문까지는 완만한 내리막길이었다. 터벅터벅 평강이 남문을 향해 발걸음을 옮기었다. 금팔찌가 흘러내리지 않도록 깍지를 낀 양손을 소매 안에 감춘 채로 걸었다. 남문 앞에 이르러 소운이 평강에게 보따리를 건네주었다.

궐문 밖으로 나서려는 평강을 군사들이 막아섰다. 그들은 평원왕의 엄명을 일찌감치 받아놓은 상태였다.

“공주님, 손에 든 짐은 가지고 나갈 수 없사옵니다. 궐 안의 흙 한 줌도 가지고 나가지 못하게 하라고 대왕께서 명하셨사옵니다.”

궐 밖으로 향하는 평강의 마음을 짓누르기에 충분한 평원왕의 명이었다. 평강이 씁쓸히 웃었다. 장담하지는 못했지만 얼마만큼은 짐작하고 있었다. 궐 안에 있는 물건 하나도 가져가지 못하게 한 조치는 서운한 일임이 분명했으나 서운타고 할 수만은 없는 일이기도 했다. 아버지는 딸아이가 가난을 견디지 못해서라도 다시 궁궐로 돌아오기를 고대하고 있을 것이었다. 여러 차례 평강은 고개를 가로저었다.

평강이 옷가지를 싼 보따리를 군사들에게 건네주었다. 그 자리에서 군사들이 즉시 보따리를 풀어 내용물을 확인하였다. 보따리 안에는 평원왕과 군사들의 예상과 달리 옷가지밖에 없었다. 한데 옷가지를 들추던 군사들은 여인의 속곳을 보고 말았다. 소운이 나서서 감히 공주님의 속옷을 그리 뚫어지게 보냐며 군사들을 나무랐다. 화들짝 놀란 군사들이 보따리에서 손을 떼고는 두어 발씩 물러섰다. 소운이 옷가지를 추스르며 평강과 눈으로 작별인사를 하였다. 한 걸음 두 걸음 느릿느릿 발걸음을 옮기던 평강이 군사들에게 한마디 툭 던졌다.

"이 옷도 벗어줘야 하겠느냐?"

손사래를 치던 군사들이 냉큼 비켜서서 길을 터주었다. 평강이 얼이 반쯤은 나간 군사들에게 말하였다.

"가서 대왕께 고하거라. 이 몸이 옷 한 벌은 걸치고 나가니 그리 아시라고."

금팔찌를 소지한 채 평강은 무사히 궁궐을 빠져나왔다. 발걸음을 되돌리고 싶진 않았지만 다시금 안학궁을 뒤돌아보았다. 제 발로 나섰어도 어버이에게서 버림받은 듯한 서러움이 밀려왔다. 웅장한 안학궁보다 동성산성의 성벽을 이루고 있는 육중한 바위들보다, 아버지 평원왕이 그녀에게 주었던 그 숱한 사랑의 나날들이 더 묵직하게 다가왔다. 중차대한 이 순간에도 평강은 생모의 얼굴은 떠올리지 못했다. 어렸을 적에 운명한 까닭에 생모는 그녀의 눈 속에 남아있지 않았다. 마음속에 아련한 그리움만 간직하고 있을 따름이었다. 평강이 혼잣말로 평원왕에게 그녀답게 하직인사를 올렸다.

"저의 뜻을 이루었으니, 다시는 울지 않겠사옵니다. 고맙사옵니다. 대왕."

분연히 자리를 떨친 평강이 궁궐 밖 미지의 세상을 향하여 고개를 돌렸다. 스스로 궐문을 박차고 나온 공주, 고구려 육백 년 역사상 초유의 사건이었다.

평강이 갈 곳은 이미 정해져 있었다. 그녀의 정혼자 온달, 고구려 태왕의 데릴사위였다가 하루아침에 궁궐 밖으로 내쳐진 그의 집이었다.

수백 발짝을 옮기니 공사가 한창인 장안성이 한눈에 들어왔다. 강물 위에 떠 있는 뗏목과 배들이 하늘에서 바람을 탄 새처럼 자유로워 보였다. 부지런히 뭍을 오가는 나룻배와 쪽배들이 파란 패수 위에 하얀 잔물결을 그려냈다. 가파른 바위 위에 누각이 미끄러져 내릴 듯 아슬아슬하게 자리하고 있었다. 저 멀리 늘어선 산들은 겹겹이 주름이 잡힌 채 하늘거리는 치맛자락처럼 아리따웠다. 강 건너 널찍한 들판은 험로를 가는 평강에게 품을 내어줄 듯 푸근했다.

강물을 가로지르는 널따란 다리 위로 우마차와 수레 행렬이 이어졌다. 백성들의 걸음걸이까지 고구려의 기풍인 듯 활기찼다. 저잣거리 장사치에게서도 강대국 고구려의 기상이 흘러넘쳤다. 이것이 바로 고구려의 힘이었다. 고구려의 힘은 맥궁이나 개마기병에서 나오는 것이 아니었다. 온달의 집을 향하는 내내 평강은 그녀의 나라 고구려의 풍광을 가슴속 깊이 품어두었다.

소소리바람이 몰고 온 빗줄기가 사납게 몰아치더니 금세 뚝 그치었다.

평강은 함초롬한 오색 무지개가 떠오르길 바라며 하늘을 주시하였다. 새하얀 구름 조각들이 흘러가는 저 멀리 산자락에서 커다란 활 같은 무지개가 파란 하늘로 피어올랐다. 천상과 대지를 잇는 오색 무지개가 그녀와 낭군을 맺어줄 것이었다. 평강은 직녀가 천상의 베틀로 그녀를 위하여 무지개를 곱게 짜냈을 거라 믿었다.

저 곳이었다. 바로 저 곳이 낭군 온달의 집이었다. 다 쓰러져가는 방 두 칸짜리 온달의 집이 어디쯤 자리하고 있는지 평강은 대충 알고는 있었다. 그 집 울타리 그 사립문 앞에 멈춰 섰다. 가족의 품을 그리 단호히 벗어나 딴 세상으로 나왔지만, 막상 칠 년 전의 낭군을 만난다고 생각하니 집안으로 불쑥 들어설 용기가 나지 않았다. 시어머니인 온달모가 그녀를 순순히 받아줄지 의문이었다. 심지어 그녀가 낭군이라고 철석같이 믿고 있는 온달도 막상 그녀를 대하고서 어떤 모습을 보일지 가늠할 수가 없었다. 데릴사위는 어쩌면 그녀 혼자 간직한 인연일지도 몰랐다. 온달이 궁궐 밖으로 내쳐진 이후엔 단 한 차례도 마주한 적이 없으니 모든 것이 유동적이었다. 차라리 이곳에 오자마자 얼굴을 마주했으면 좋았으련만 인기척이 없다는 것도 그녀가 주저하는 데 한몫했다. 차마 발걸음이 떨어지지 않아 평강은 사립문 밖에 오도카니 서서 온달을 기다렸다.

시간이 더디게 흘러갔다. 꽤 오랜 시간이 흘렀는데도 온달은 나타나지 않았다. 온달과 그 형제들에게 그새 무슨 일이라도 생긴 것은 아닌지 평강의 마음 한켠에 걱정이 들어서기 시작했다. 평강은 온달과 함께 기거하는 의형제들의 존재를 유모를 통하여 오래전부터 알고는 있었다.

온달을 향한 설렘보다 걱정이 커지기 시작하였다.

4. 시집살이하는 공주

평강이 사립문 안을 기웃거렸다. 중년의 여인이 방문을 열고 손으로 마루와 기둥을 더듬어가며 밖으로 나왔다. 남편이 전사한 충격으로 실명을 했다는 전언이 빈말이 아니었다. 온달의 어머니가 틀림없었다. 평강이 두근거리는 심장을 달래었다. 얼마만의 재회인지 평강도 햇수를 헤아리지 못하였다. 어렸을 적 온달이 데릴사위가 되어 그 일가가 궁궐에 초대되었을 때 본 게 마지막이었다.

벽을 더듬거리며 온달모가 부엌으로 향하였다. 해가 서산으로 기울어가니 아마도 저녁상을 차리려는 모양이었다. 평강이 온달모에게 가까이 다가가 일부러 인기척을 크게 내었다. 온달모가 소리가 나는 쪽으로 귀를 기울였다. 누구인지 물었지만 평강은 입을 떼지 못했다. 울먹이면서 온달모의 손을 가볍게 잡았을 따름이었다. 온달모가 말했다.

"누구시오?"

평강의 손을 만지작거리던 온달모의 기억 속에 불현 듯 한 인물이 떠올랐다.

"지금 냄새를 맡아보니 보통 향이 아니고, 그대의 손은 매끄럽기가 솜 같으니, 천하의 귀인인 듯한데, 누구시오?"

온달모는 평강과 손과 손이 닿았을 뿐이었다. 그녀의 손이 가사일과 농사일로 거칠어진 평민의 손이 아니라는 걸 단박에 눈치 채었다. 게다가 고운 이 손은 향유를 발라 더 부드러웠다. 온달모는 평강의 옷고름 안쪽에 달린 향낭에서 새어나오는 향내 또한 놓치지 않았다. 이 향은 바다 건너 저 멀리 남만에서 수입한 침향이었다. 일순간에 가문이 몰락하였으나 온달모는 지체 높은 귀족이었다. 아들이 데릴사위가 되어 뭇 귀족들의 부러움과 시샘을 받은 기억이 생생하였다.

장님이 된 온달모는 평강의 자태를 볼 수 없었지만 평강은 꾸미지 않고 있었다. 일국의 공주가 제 발로 거지가 된 낭군을 찾아가는 참으로 생게망게한 마당이었다. 궁궐 밖으로 나서기 직전 평강은 급히 얼굴만 단장했다. 색분을 바르고 입술에 연지만 한 차례 찍었다.

고구려인들은 신분의 높낮이를 떠나 남자들까지 향낭을 차고 다니는 멋쟁이들이었다. 하지만 온달모는 색이 바랜 누더기 옷 한 벌을 걸치고 있을 뿐이었다. 그러한 온달모 앞에서 평강은 화려하게 치장하지 않았어도 왠지 미안해졌다. 온달모가 눈이 먼 것이, 가난하게 사는 것이 고구려의 공주인 그녀 탓인 것만 같았다. 온달모가 고개를 갸웃거리며 누구냐고 재차 묻자 울먹이던 평강이 입을 열었다.

"오랜만이옵니다, 어머님, 저 평강이옵니다."

온달모가 매만지고 있던 평강의 손을 슬며시 놓았다.

"평강? 공주님이 어찌 여길 다 오셨습니까? 이제 내 아들은 가난하고 보잘것없는 처지가 됐으니 공주님 같은 귀인이 가까이할 만한 사람이 못 됩니다. 혹시, 누구의 꾐에 빠져 이곳까지 오게 되었습니까?"

온달모는 떨떠름한 표정이었다. 평강의 등장이라는 전혀 예기치 못한 상황에 당황해서만은 아닌 듯싶었다. 평강 또한 적잖이 당황했다. 환대를 기대한 것은 아니었지만 온달모의 말투는 냉대에 가까웠다. 온달모와 평강에게 그동안 숱한 일들이 벌어졌어도 둘이서 정겹게 나눌 만한 이야깃거리는 하나도 없었다. 평강이 말했다.

"제 발로 낭군을 찾아왔으니 염려치 마십시오."

서먹한 분위기에 그녀들이 서로 데면데면해 하는 사이 지아루가 귀가하였다. 온달모가 저녁 준비하는 것을 도와주려 형제들보다 일찍 온 모양이었다. 사립문 안으로 들어서자마자 발걸음을 멈췄던 지아루가 느릿느릿 평강과 온달모를 향하여 다가갔다. 온달모는 지아루가 왔다는 것을 그녀의 발자국소리로 눈치 채었지만 입을 다물었다. 평강이 어떻게 처신하는지 두고 볼 참이었다.

평강과 지아루는 서로를 한참 쳐다보았다. 평강은 지난날 유모가 들려줬던, 온달의 의형제 가운데 소녀가 하나 있다는 말을 생각해냈다. 그 소녀가 장성하여 이렇듯 숙녀가 되었으니, 평강은 온달과 함께하지 못한 세월을 새로이 실감하였다.

"지아루, 네가 지아루이더냐?"

평강이 지아루와 온달의 의형제들을 알고 있다는 것은 그녀가 온달과의 인연을 끝내지 않았다는 말이었다.

온달과 의형제로 한솥밥을 먹으며 같이 살아온 지아루 또한 평강의 존재를 알고 있었다. 과하게 치장하진 않았어도 평강은 대례복 차림이었다. 평강의 옷이 여느 귀족의 호사스러운 의복과도 비교할 수 없을 만큼 돋보임을 모르지 않았다.

지아루가 고개를 끄덕이자 평강이 그녀 자신을 소개하였다. 지아루는 평강에게 잠시 고개만을 숙였을 뿐 어찌 응대해야 할지 몰라 온달모만 쳐다보았다. 어색한 분위기에 침묵이 세 사람 사이를 감돌았다. 평강이 지아루에게 온달이 있는 곳을 물었다.

"우마리가 곡물가게를 열어 도와주고 있는데, 아마 곧 올 겁니다요."

요사이 온달과 형제들은 우마리의 가게에서 일을 거들어주고 있었다. 불과 며칠 전 우마리가 곡물 가게를 열었으니 평강은 이 일을 모를 수밖에 없었다. 평강이 온달모에게 말했다.

"제가 마중을 나가겠습니다."

온달모는 아무런 대꾸도 하지 않은 채 지아루의 손을 잡고 부엌으로 들어갔다. 온달모의 뒷모습을 물끄러미 바라보던 평강은 나직이 한숨 한 번 내쉬고는 마음을 다잡았다.

온달을 마중한다며 집 밖을 나섰지만 평강은 어느 방향으로 가야 할지 알지 못했다. 사립문에서 멀리 벗어나지 못한 채 서성거릴 따름이었는데, 그녀는 집을 향해 걸어오고 있는 세 남자를 보았다. 아니, 평강은 한 사내만을 눈여겨보았고 멀찌감치 떨어져있는 온달 또한 그녀를 단박에 알아보았다. 온달은 순간 홍이와 두치와 달리 걸음을 멈추었다. 몇 발짝 더 내딛어 앞서 있던 홍이와 두치가 고개를 돌려 온달을 보았다. 온달의 시선을 따라 고개를 돌리자 그들을 향하여 걸어오는 한 여인이 눈에 띄었다. 홍이와 두치는 이 여인 뒤 저 멀리서 지아루가 어서 오라고 하는 손짓 또한 보았다.

평강, 공주! 얼굴을 마주보던 홍이와 두치의 입에서 동시에 튀어나왔다. 두 사람이 얼른 손으로 입을 가리고 주위를 두리번거렸다. 왠지 입 밖으로 내서는 안 될 이름 같았다. 미소 띤 얼굴로 평강이 가볍게 목례를 하고 두 사람을 지나쳤다.

팔을 뻗으면 닿을 거리에서 평강이 온달 앞에 멈춰 섰다. 입을 앙다문 채 발걸음을 내딛으려는 온달을 평강이 부마도위라는 한마디 말로 멈춰 세웠다. 평강이 서서히 옛 정인을 향해 손을 내밀어 그의 손을 잡았다. 평강의 예상과 달리 온달이 불끈 화를 내었다.

"이 손을 놓으십시오. 이는 고구려의 공주가 하기에 마땅한 행동이 아닙니다."

엉겁결에 평강이 손을 놓자 온달은 뒤를 돌아보지도 않고 집안으로 들어갔다. 평강은 온달의 뒷모습을 한참동안 멍하니 바라보았다. 사립문 밖에서 평강과 온달을 지켜보던 지아루는 회심의 미소를 지었고 홍이와 두치는 어안이 벙벙할 따름이었다.

온달모와 자식들이 둘러앉아 저녁식사를 하는 방 안에 바깥보다 더 쌀쌀한 기운이 휘돌았다. 꽃샘추위 탓도 아니고 화로의 불길이 약해서도 아니라는 것을 다들 모르지 않았다. 최근 며칠과 달리 온달모는 오늘 우마리의 장사가 어떠했는지 묻지 않았다. 온달과 의형제들 또한 묵묵히 밥만 먹었다. 조심스레 지아루가 입을 열어 사립문 밖에 앉아 있는 평강이 자리를 뜰 기미가 보이지 않는다고 하였다. 두치가 방문을 조금 열고 밖을 흘깃거렸다.

홍이가 허공에다 대고 평강에게 저녁밥은 챙겨줘야 하지 않겠냐고 중얼거렸다. 우마리가 곡물가게를 차리기 전까지 구걸을 하며 오늘까지 살아온 그들이었다. 온달과 형제들이 구걸을 하지 않고도 살 수 있게 된 것은 불과 며칠 전 일이었다. 온달모의 동태를 살피던 홍이가 십 년 넘게 비렁뱅이 질로 연명해온 그들이 바로 그들 눈앞에서 다른 사람이 굶도록 내버려둘 수는 없는 노릇이라 말하였다. 온달모의 말은 혼잣말인 듯 나지막했다.

"동정할 필요 없다. 한 끼 굶는다고 죽지 않는다. 너희들이 그간 얼마나 굶주렸는데."

또다시 한참동안 침묵이 흐르는 사이 모두 밥을 다 먹었다. 생각에 잠긴 온달은 그의 밥그릇이 빈 줄도 모르는 듯 숟가락을 들고 있었다. 두치가 말했다.

"이대로 가만히 있을 거야?"

온달은 고개만 숙일 뿐 대답하지 못했다. 보다 못해 두치가 홍이에게 눈짓을 했다. 홍이가 방밖으로 나가자 두치가 뒤따라 나섰다. 둘은 마당에서 잠시 쑥덕쑥덕했다. 홍이는 부엌에서 육포를, 두치는 물주머니에 물을 담아 평강 앞에 내밀었다.

"송구스럽지만 저희는 공주님께 어찌 처신해야 할지 잘 모릅니다요."

고맙다고 하며 평강이 음식과 물주머니를 건네받았다. 홍이와 두치가 자리를 떴다. 잠시 뒤 되돌아온 홍이와 두치가 평강에게 이불을 건네주었다. 고맙다며 평강이 이불을 받았다.

평강이 새까만 밤하늘을 올려다보았다. 문전박대를 당해 이렇듯 사립문 밖에서 이슬을 맞으며 한뎃잠을 잘 줄은 몰랐다. 궁으로 돌아갈 생각은 평강에게 한 조각도 생기지 않았다. 돌아갈 거였다면 궐문 밖을 나서지 않았으리라. 수그러진 저 반달이 다시 보름달이 되려면 시간이 걸릴 것이었다.

남쪽나라에서 평원왕에게 선사한 능소화는 북방에서는 잘 자라지 않았다. 하늘이 부끄러워할 만한 능소화 꽃이 어렵게 피는 것은 날씨와 풍토가 다르기 때문일 터였다. 문득 평강이 미소를 지었다. 그녀의 팔뚝을 온통 휘감고 있는 금팔찌가 생각나서였다.

이튿날 온달모가 평강을 찾아 불렀다. 새벽닭이 홰에 오르기도 전일만큼 이른 시각이었다. 온달모를 비롯한 모든 이들이 잠을 이루지 못하였음이 틀림없었다. 평강과 온달이 온달모를 사이에 두고 마주앉았다.

먼저 평강이 어제 있었던 활쏘기시합 얘기를 꺼냈다. 마중물이 큰물을 이끌어내듯 일단 대화가 시작되자 평강과 온달의 이야기는 하염없이 시간을 거슬러 올라갔다. 평강과 온달의 운명을 흔들어 놓은 사건은 온달의 아버지 온지추의 전사로부터 비롯되었다.

*

568년.

신라군에 편입된 가야인의 칼날은 매서웠다. 그들은 이 남한강 유역의 땅을 차지해야만 살아갈 터전이 생기는 처지였다. 가야인은 신라인보다 더 치열하게 고구려와 싸웠다. 신라가 투항한 가야국 백성들을 고구려와의 접경지역으로 이주시킨 이유였다. 남한강 유역의 땅을 확보하려는 신라왕을 위해 가야인들이 피를 흘렸다. 가야인들의 변심과 반란을 막는 게 주목적이었지만 어쨌든 가야인들이 고구려와 싸워 획득한 땅은 신라의 영토가 되었다.

낭비성 안팎의 시선이 어느덧 단 한 사람, 온지추에게 쏠렸다. 고구려왕의 사돈인 그가 그만 신라군의 포위를 뚫지 못하고 포위되고 말았다. 배신자가 있어서였다. 배신자는 그의 고향친구인 량주홍良朱紅이었다. 온지추는 삼면이 포위당한 채 성벽에 기대어 신라군과 대치했다. 신라장군이 걸맞은 대우는 해주겠다며 온지추에게 신분을 밝히라고 하였다. 그는 이미 이 고구려 장군이 누구인지 알고 있었다. 지금 이순간은 그의 전공을 보다 명확하게 해주는 요식행위일 뿐이었다. 그 신라장군 뒤에는 조국과 친구를 배반한 량주홍이 서 있었다. 두 눈을 부릅뜨고 온지추가 량주홍을 노려보았다.

"네 이놈, 량주홍!"

온지추가 이를 악물었다. 기합소리와 함께 온지추가 창을 던지려고 팔을 쳐들었다. 창끝은 적인 신라장군이 아닌 량주홍을 겨냥했다. 량주홍을 향해 창을 던지려는 순간, 신라장군이 신라군에게 군령을 내리지 않았는데도 숱한 화살들이 온지추를 향해 날아갔다. 온지추는 던지려던 창을 땅바닥에 내리꽂고 선 채로 절명했다. 온지추가 원한 것은 고구려의 무인다운 장렬한 전사였고 신라장군은 그의 소원을 들어주었을 따름이었다. 목이 잘려 창끝에 꿰인 온지추의 머리가 하늘로 솟구쳤다. 잠깐, 신라장군이 군사들에게 말했다.

"수급을 소금에 절여 서라벌로 보내라. 소중한 전리품이니 조심해서 다뤄라."

고구려 깃발이 땅바닥으로 내동댕이쳐지고 신라 깃발이 낭비성 성루에 세워져 나부꼈다. 밤늦도록 낭비성 안은 승리를 자축하는 술판으로 시끌벅적했다. 승리와 패배, 눈물과 웃음이 같은 시간 한 공간속에 공존하였다. 성주의 부인이자 고구려왕의 데릴사위 온달의 어미는 졸지에 신라의 전리품으로 전락했다. 그녀는 방에 갇힌 채 승자의 처분을 기다려야 했다.

깊은 밤 량주홍이 온달모가 갇힌 방 앞에서 인기척을 냈다. 그가 방문을 여는 소리보다 온달모의 시녀 검구월黔仇月의 비명소리가 더 빨랐다. 부들부들 떨고 있는 검구월에게 량주홍이 밖으로 나가라고 하였다. 주저주저하는 검구월을 량주홍이 쫓아냈다. 문이 채 닫히기도 전에 허겁지겁 량주홍이 옷을 벗기 시작했다. 온달모가 량주홍의 목소리가 나는 쪽을 향하여 고개를 돌렸다. 량주홍은 온달모의 두 눈에서 흘러내리는 피를 보았다. 그의 시선은 온달모의 손으로 향했다. 온달모는 손에 바늘을 들고 있었다. 독한 년, 신음소리를 토해낸 량주홍이 문을 박차고 방 밖으로 나갔다. 검구월이 온달모에게 가까이 다가가 조심스레 피를 닦아내며 그녀의 눈동자를 요리조리 살폈다.

동이 트자마자 온달모의 하녀 검구월은 채 수습하지 못한 고구려군 시신들 사이에서 온지추의 갑옷을 찾아다녔다. 검구월이 선 채로 시신을 한참 바라보았다. 털썩 주저앉아 시신을 부여잡고 흐느꼈다. 온달모가 온지추의 갑주를 더듬어 그녀의 남편임을 확인했다.

"좀 거들어다오. 성주님의 몸에 박힌 화살촉을 뽑아내야겠다. 이대로 화살촉이 박힌 채 먼 길 가시게 할 순 없지 않느냐? 목이 없는 것만으로도 괴롭기 그지없으실 터인데."

떨리는 손길로 검구월이 화살촉을 뽑기 시작했다. 그녀는 때론 두 눈을 감은 채 때론 이를 악물어가며 화살촉을 뽑아 온달모에게 건네주었다. 온달모가 화살촉을 그러쥐고 말하였다.

"이 화살촉을 대왕님 면전까지 가져갈 것이다. 친구의 심장을 멈추게 한 흉기를 똑똑히 보시라고! 신라 놈들이 가져간 친구의 목을 되찾으라고 주청할 것이야!"

"마님, 고정하시어요. 소리도 좀 낮추시고요. 마님답지 않으셔요."

이윽고 온달모가 막대기 지팡이를 짚으며 평양성으로 향했다. 화살촉을 품안에 깊이 간직한 채였다. 검구월이 온달모를 부축하면서 동행했다. 평양성까지는 먼 길이었다. 이런 식으로 걸어서 가면 달포도 넘게 걸릴 것이었다. 검구월이 온달모를 풀밭에 앉히고 자신도 앉았다. 가죽 물주머니를 꺼내들어 온달모에게 물을 먹여주고 그녀도 한 모금 마셨다.

"마님, 성주님 일은 안 되셨지만 너무 상심하지 마시옵소서. 떡두꺼비 같은 작은 성주님이 계시지 않사옵니까. 게다가 모두들 부러워하는 부마도위 아니시옵니까. 마님이 살아서 평양성에 당도하시기만 하면 대왕님이 알아서 잘 보살펴주실 것이옵니다요."

문득 온달모는 놓치고 있던 일을 생각해내었다.

"검구월아, 지체할 시간이 없구나. 경황이 없어서 내가 미처 생각지 못한 게 있구나. 힘들겠지만 서두르자꾸나."

한 식경쯤 지난 뒤 온달모와 검구월의 앞길을 강이 막아섰다. 온달모는 볼 수 없지만 강물은 흐르고 있었다. 깊은 강물은 고여 있는 듯 느리게 흘렀다.

온달모와 검구월은 남한강을 오가는 나룻배를 얻어 탔다. 강을 건너며 온달모는 숱한 소리를 들었다. 튕기는 여울물은 화살이 날아다니는 소리를 냈고 뱃사공의 삐걱거리는 노는 창과 칼이 부딪히는 소리 같았다. 이곳이 마치 지난날의 전쟁터인 듯했다. 그녀는 남편이 남긴 여한의 울부짖음을 새겨들었다. 백발이 성성한 뱃사공이 온달모를 힐끔거리며 노를 저었다. 온달모는 머리에 두른 하얀 천으로 두 눈을 가리고 있었다. 뱃사공이 말했다.

"보아하니, 귀부인인 듯싶은데 어쩌다 눈이 멀었는지 궁금해서 그러오.

혹시 신라 군사들에게 무슨 험한 일이라도 당한 게요?"

검구월이 말했다.

"아무 일도 없었어요!"

"아니면 됐지, 왜 성을 내고 그러오. 전쟁 나면 제일 불쌍한 게 어린애들과 여인들 아니겠소? 이런 때에 나같이 늙은 뱃사공 만난 게 다행인 줄만 아시오."

불안한 듯 검구월이 온달모의 손을 잡았다. 뱃사공이 혼잣말하듯 말했다.

"그나저나, 평양성에 무슨 일이 있지 않고서야, 낭비성이 저리 허망하게 함락되다니."

온달모가 뱃사공에게 무슨 소식을 들었는지 물었다.

"이 무지렁이 늙은인 그저 낭비성 성주가 개죽음을 당했다는 얘기만 좀 들었을 뿐이오."

"개죽음이라니! 얼마나 장렬하게 전사하셨는데, 얻다대고 그런 망발을 하는 게요."

검구월이 발끈하자 온달모가 진정하라는 듯 그녀의 손을 꼭 쥐었다. 뱃사공이 코웃음을 쳤다.

"이 나이 먹도록 살아보니 패자를 기억해주는 사람은 없습디다."

강물은 하류로 내려갈수록 깊어지고 넓어졌다. 온달을 찾아 평양성으로 향하는 온달모의 근심은 강물처럼 깊었고 검구월의 걱정은 뱃사공의 얼굴에 패인 주름만큼 많았다. 온달모가 온달을 만날 수 있을까. 눈이 먼 온달모를 온달이 알아보지 못하면 어떡하나.

*

575년.

평강과 온달의 식솔들이 모인 자리에서, 평강과 온달이 헤어져있던 일곱 해 동안 겪은 일들이 실타래에서 실이 풀리듯 이어졌다. 이야기는 오랫동안 지속되었지만 평강은 그간 궁궐 안의 자세한 사정을 다 얘기하지 못했다. 아버지 평원왕이 그녀에게 했던 이야기 몇 개는 빼고 터놓았다.

평강의 말에 수긍을 하면서도, 평강이 그를 찾아 여기까지 왔는데도 온달은 결정을 내리지 못하였다. 우물쭈물하는 아들대신 온달모가 나섰다.

"하지만 이제 내 자식은 지극히 비루하여 귀인의 짝이 될 수 없습니다. 보시다시피, 작금의 우리 집은 몹시 가난하여 고귀한 공주님이 살기에 적당하지 않습니다."

평강이 대답하였다.

"어머님, 옛 사람들이 한 말의 곡식만 가지고도 방아를 찧어 먹을 수 있고, 한 자의 베도 바느질로 만들 게 있다고 하였으니, 어찌 꼭 부귀한 다음에라야 함께할 수 있는 것이겠습니까? 어떤 부부는 우물물 한 그릇에 혼인을 맹세했다고 하니 저희도 그리하면 되지 않겠습니까?"

줄기차게 이어지는 평강의 회유에도 온달모의 마음은 꿈적하지 않았다. 온달모가 평원왕의 사정을 전혀 이해하지 못하는 것은 아니었다. 전쟁에 패해 영지를 빼앗긴 온씨 가문과의 혼사가 왕실에 득이 될 것이 없었다. 하지만 온지추는 평원왕의 벗이었고 온달은 부마였으니 서운한 감정이 이는 것 또한 당연했다.

자리에 있는 듯 없는 듯 고심만 하던 온달은 유모의 최후를 생각하고 있었다. 온달이 유모의 죽음은 그의 탓이라며 자책했다. 세세한 내막까진 몰랐던 평강이 나직이 흐느끼었다. 나이어린 평강과 온달 곁에는 어머니가 없었다. 평강의 생모도 없고 온달모 그녀도 없이 오직 유모만이 있었다.

그 어린아이들을 돌봐주지 못한 온달모는 마음이 흔들렸다. 오늘의 불행은 어찌 보면 남편 온지추 때문이었다. 그녀가 두 눈을 실명한 것도, 사돈 평원왕이 온달을 내친 것도 남편 탓이었다. 망자가 된 그 사람의 잘못을 따지자면 한이 없을 것이었다.

"제 아들이야 정화수 한 그릇이면 족하지만 공주님이 그런 혼례를 올리시면 세인들이 손가락질을 할까 두렵습니다. 평생 흉을 볼지도 모르는 일입니다."

숨을 죽이고 문밖에서 이야기를 엿들은 홍이와 두치가 환호성을 질렀다. 방 안으로 뛰어들어 며느리를 맞이한 온달모와 아내를 맞이한 온달을 축하했다. 지아루는 너럭바위를 향해 달려가며 울먹였다.

입소문이 바람보다 빠른 듯하였다. 평양성이 일순간에 출궁을 감행한 평강공주 얘기로 술렁이었다. 온달 또한 화제의 정중앙에 있었는데 평강을 며느리로 삼지 않으려던 온달모도 화젯거리였다. 소문이 퍼져 고구려 전역이 공주 평강과 바보 온달의 혼인 얘기로 들썩이었다.

왕족들과 귀족들이 줄줄이 온달의 집을 방문한 일 또한 큰 화제가 되었다. 오부 막리지들을 비롯하여 고탄도 온달의 집을 찾아왔다. 그들은 평강과 온달의 혼인을 축하하려 오지 않았다. 혼인을 하지 말라며, 그들은 때로는 온달모를 때로는 온달을 압박했다.

온달의 의형제들을 겨냥한 협박과 회유도 거듭되었다. 누군가는 평강과 온달이 혼인하지 않으면 우마리에게 곡식을 싸게 대주겠다고 했다. 두 사람이 혼인을 하는 순간 우마리가 가게 문을 닫을 거라고 위협하기도 했다. 이러한 일도 있었다며 우마리가 한숨을 내쉬자 평강이 그에게 말했다.

"그들이 곡식을 싸게 공급해주걸랑 일단 받아두세요."

"예? 그 다음엔 어찌하시려고요?"

"저는 뾰족한 수가 없으니, 알아서 대처하세요."

당황해하는 우마리의 모습을 보고 평강은 일부러 더 크게 웃었다. 좋지 않은 일이 일어날 때마다 평강은 웃음을 보이려 애썼다. 우는 거보다 웃는 게 나을 것이었다. 밝은 웃음소리가 칠 년 동안 온달을 외면했던 행복을 데려올 듯싶었다.

우마리의 가게에서 집으로 향하는 온달과 형제들은 굴뚝에서 피어오르는 연기를 보았다. 앞서거니 뒤서거니 하며 집을 향해 달려갔다. 평강이 부엌을 들락날락하며 저녁식사를 준비하고 있었다. 아궁이 불기를 한번 살펴보고 두치가 코를 킁킁거렸다. 좁쌀 밥 냄새라고, 그의 코는 못 속인다고 하였다. 온달과 의형제들이 부엌 안으로 고개를 쑥쑥 들이밀었다. 가마솥에서 모락모락 올라오는 김을 바라보며 침을 삼키었다. 평강이 온달에게 밥이 거의 다 됐으니 냇가에 가서 얼른 씻고 오라 하였다.

평강이 밥 먹는 모습을 보고 게걸스럽게 밥을 먹던 온달과 의형제들이 허리를 꼿꼿이 세우고 천천히 먹었다. 평강과 온달과 의형제가 번갈아가며 온달모에게 밥을 떠먹여주었다. 지아루가 그녀가 먹여준 게 제일 맛나지 않았느냐고 온달모에게 물었다. 온달모가 맛은 똑같은데 지아루가 떠준 밥이 양이 제일 적다고 하였다. 오랜만에 평강과 온달의 신혼집에서 웃음소리가 문 밖으로 새어나왔다.

웃음소리는 그리 오래가지 않았다. 밥을 먹으면서도, 밥을 먹고 나서도 온달모가 내쉬는 한숨은 그치지 않았다. 밥 한 끼 먹는 게 문제가 아니었다. 복수를 해야만 했다. 느긋하게 밥숟가락을 뜨던 평강의 표정이 굳어졌다.

제 2 장

죽어서도 떠나지 못하다

5. 바보가 영웅이 되다

평강과 온달의 혼인 소식에 평원왕은 화를 내지 않았다. 평원왕은 평강이 아예 존재하지 않았던 딸인 듯 처신했다. 공주와의 혼인에도 불구하고 온달은 대왕의 사위로 인정받지 못하고 있었다.

혼례를 마치고 평강이 온달에게 말했다.

"돌아오는 장날 마시장에 가면 비류라는 이름의 볼품없는 말이 있을 겁니다. 엉덩이에 우물 정 자 모양의 낙인이 새겨져 있습니다. 행여 제 얼굴을 알아볼 이가 있을지도 모르니 혼자 다녀오세요."

평강에게서 마부와의 사연을 듣고 온달은 감탄했다. 평강의 기지가 우마리의 꾀 못지않았다.

"내가 그 말을 타고 반드시 공주의 그 뜻을 이루겠소."

온달이 시장에 가서 평강이 시킨 대로 비류라는 말을 샀다. 말을 타고 집으로 돌아오는 내내 온달은 고개를 갸웃거렸다. 비류가 명마 같지 않아서였다. 온달이 평강에게 말했다.

"공주가 시킨 대로 사오긴 했는데, 이 비류라는 말이 진짜 최고인 것이오?"

"조급해하지 말고 잠시 기다려보십시오."

며칠 동안 평강이 부지런히 돌봤더니 비류가 몰라보게 건장해졌다. 온달이 평강에게 물었다.

"어찌 이리 달라질 수가 있는 거요?"

"동명성왕께서 왕위에 오르기 전 무슨 일을 하셨습니까?"

"말 돌보는 일을 하셨잖소. 그럼, 무슨 비결이라도 있는 게요?"

평강의 입이 미소를 머금었다.

"왕가에만 전해오는 비결이 있습니다."

"그게 뭐요?"

"비밀입니다."

"나한테도 비밀이오?"

"비밀입니다. 훗날 제 아이에게만 몰래 알려줄 겁니다."

온달이 하루 종일 평강을 따라다니며 그 비결을 알려달라고 했다. 평강이 말했다.

"말은 저를, 제 감정을 알아봅니다. 말과 교감하는 게 제일 중요합니다."

평강과 온달의 신혼집을 구경하려 여러 사람이 수시로 찾아왔다. 세인들은 평강의 당참에는 존경을, 풍족하지 않은 살림살이에는 동정을 보냈다. 백성들이 평강의 사랑과 용기를 칭송하는 반면 왕족들과 귀족들은 냉담하였다. 궁궐 안에서 평강과 온달을 생각해주는 사람은 태자와 남부막리지 온예를 따르는 무리밖에 없었다.

온달의 혼인 소식을 듣고 찾아온 사람들 가운데 검구월이 있었다. 그녀는 지난날 평강의 유모가 온달에게 준 은자를 훔쳐 도망을 갔었다. 검구월이 온달모와 온달과 형제들 앞에 무릎을 꿇고 용서를 빌었다. 검구월을 집안에 다시 들일지 모두 모여 의견을 나누었다. 검구월이 온달모를 평양성까지 안내한 공은 있어도 다시 시녀로 삼는 것은 불가하다는 게 중론이었다. 온달모가 배신자는 다시 배신하기 쉽지 않느냐며 제일 강하게 반대하였다. 평강이 말하였다.

"제 생각엔 지난날 검구월이 대왕께 받을지도 모를 은자를 욕심낸 까닭에 오늘날 모자께서 재회한 거 같습니다. 그녀가 은덩어리를 갖고 도망가는 바람에 유모가 다시 패물을 주려고 부마도위를 찾아갔습니다. 그때 유모가 부마도위를 살리고 대신 죽어, 오늘이 있는 거 아니겠습니까. 세상사가 이처럼 뒤죽박죽인 듯싶은데, 어찌하시겠습니까?"

다들 잠시 생각에 잠겼다. 온달은 평강과 어머니 사이에서 그의 의견을 잘 내세우지 않아왔다. 평소에도 말이 많지 않은 편인 그가 말했다.

"어머니, 사람을 죽이기는 쉬워도 살리는 건 어렵고, 사람을 버리기는 쉬워도 얻기는 어렵다고 들었습니다. 지난날 홀로 어머니 곁을 지킨 그 마음을 생각해서 검구월을 받아들이는 게 어떻겠습니까?"

온달모는 아들의 말을 따르기로 했다. 아니, 다시 생각해보면 이는 며느리 평강의 뜻이었다. 온달모는 제 의견을 곧잘 피력하는 며느리 평강의 존재가 점점 부담스러웠다. 온달모는 이 결정이 그녀의 생을 바꾸리란 걸 모른 채 검구월을 받아주었다.

오래지않아 시녀 소운이 궁궐 밖으로 나와 평강과 재회하였다. 다들 소운을 반갑게 맞아주었는데 지아루는 식구가 하나 늘었다고 불평하였다. 집이 비좁아 우마리의 곡물가게에서 형제들이 번갈아가며 묵는 형편이었다. 가게를 지키려는 의도도 있었지만 집이 워낙 비좁아서였다. 결국 형제들이 따로 거처할 집을 장만하기로 하였다. 소운이 와서 벌어진 일이라 평강이 금팔찌를 두어 개 내놓았고 우마리가 그동안 곡물가게를 하면서 번 은자를 보태었다.

우마리는 가게 이름을 바보쌀집이라 지었는데 그의 독특한 장사 수완을 반영한 상호였다. 손님들 앞에서 우마리는 셈을 잘 못하는 척하였다. 손님이 곡물 두 말을 살 때 우마리는 열 번 가운데 한두 번쯤은 일부러 한 말 가격만 받았다. 정직한 손님들은 값을 더 치렀고 그렇지 않은 손님들은 모른 척 그냥 가버렸다. 셈을 덜 치른 손님들은 이전과 같은 행운을 기대하며 우마리의 가게를 다시 찾아왔다. 가게 주인이 어리숙하다는 소문이 퍼져 단골들이 하나둘 늘어났다. 시간이 한참 흐른 뒤에야 우마리의 장사 수완임을 알아차린 사람들은 혀를 내둘렀다.

우마리의 바보쌀집은 다른 가게를 하나 더 차릴 만큼 장사가 잘 되었다. 우마리는 밭과 마소와 노비를 차례차례 사들였다. 우마리는 지난날 온달과의 약속대로 다른 형제들의 살림도 챙겨주었다. 우마리 덕에 온달 집은 살림살이가 늘어나긴 했어도 평강과 온달의 근심은 줄지 않았다. 평원왕은 여전히 온달을 사위로 인정하지 않고 있었고 어머니의 복수는 요원하였다.

지아루의 혼인 상대자를 두고서 형제들끼리 작은 소동이 일었다. 형제들 모두 지아루가 다른 사내와 혼인하기를 바랐지만 지아루는 우마리랑 혼인하겠다고 하였다. 난감해 하는 우마리에게 지아루가 따지듯 말했다.

"신분이 높아지면 비천할 때의 친구를 바꾸고, 부자가 되면 가난할 적 아내를 버린다더니, 네가 딱 그 짝이다."

말을 하는 지아루의 두 눈 가득 눈물이 고였다. 우마리는 마음이 짠했다. 지아루는 술지게미와 보릿겨를 나눠 먹던, 죽을 고비를 같이 넘겨온 사이였다. 여럿이 함께했기에 망정이지 혼자였다면 살아남지 못했을 거였다.

우마리는 마음이 흔들렸다. 지아루의 청혼을 내치면 왠지 홍이, 두치, 온달까지 다 잃을 거 같았다. 힘든 나날들이었어도 그 친구들을 잃는다는 것은 과거를 다 버리는 것이었다. 지아루를 외면하기 힘들었던 우마리는 그녀의 소청을 받아들였다. 길하다는 날을 잡아 우마리와 지아루가 혼례를 올렸다. 예식은 초라한 평강과 온달의 혼례와 비교할 수 없을 만큼 화려했다.

지아루의 혼사가 끝나고 해가 바뀌자 온달이 사위로 인정받지 못하는 것보다 더 골치 아픈 문제가 대두되었다. 평강이 회임을 하지 못하고 있었다. 혼인한 지 오래지않아 지아루가 아기를 가졌다는 소식에 온달모는 평강을 더 마뜩하지 않게 여겼다.

삼짇날 여자들은 푸른 들판에 나가 새 풀을 밟으며 꽃놀이를 하였다. 남자들은 낙랑 언덕에서 사냥대회를 열었다. 이날 잡은 들짐승을 제물로 일월과 천지의 신령께 제사를 지내었다. 삼짇날을 기다리고 있는 사람은 한둘이 아니었다. 온달과 그 형제들 또한 삼짇날을 손꼽아 기다렸다. 이 사냥대회 입상자에게는 대왕이 친히 벼슬을 내려주기 때문이었다.

낙랑의 들에 둥, 둥, 둥, 사냥의 시작을 알리는 북소리가 울려 퍼졌다. 사냥터가 전쟁터 같았다. 쟁쟁한 인재가 한둘이 아닌 탓이었다. 온달과 형제들이 혼신의 힘을 다하였으나 최종 우승자는 북부의 을산가乙山家였다. 강이식姜以式과 을지문덕이 2위와 3위, 고탄이 4위, 홍이가 5위를 차지하였다. 강이식의 우승으로 끝났어야 할 이 대회에 북부 막리지 을두노의 흉계가 작용하였다. 을두노가 북부사람을 시켜 아무도 모르게 을산가가 사용하는 화살로 노루 한 마리를 더 잡았다.

평원왕은 을산가에게 소형, 강이식과 을지문덕과 고탄에게 태대사자, 홍이에게는 소사자 벼슬을 내리었다. 을산가가 네 번째 관등 소형에 오른 것은 파격적이었다. 그가 북부 명문가의 자제인 덕이었다. 서부출신 고탄은 등위가 낮은데도 강이식, 을지문덕과 같은 벼슬을 받았다. 귀족이 아닌 홍이는 맨 밑 소사자 벼슬을 받았다.

홍이가 벼슬길에 나아간 것이 위안은 됐어도, 입상하지 못한 온달은 낙담했다. 온달모가 그녀의 생각이 옳지 않았느냐며 온달을 나무랐다. 늦지 않았다며 다시 온달에게 글공부를 권했다.

평강이 온달에게 그녀 쪽으로 와달라고 손짓을 했다. 온달이 평강에게 말했다.

"무슨 일이오?"
"내년에는 분명히 입상할 겁니다."
"왜 그리 생각하오?"
"올해 을산가가 일등을 했기 때문입니다."
"아니, 그 말은?"
"장담할 순 없으나 북부 막리지 을두노가 손을 쓴 듯싶습니다. 그는 그러고도 남을 위인입니다. 한 가지 이유가 더 있습니다."
"그게 뭐요?"
"강이식과 을지문덕은 십 년, 백년에 한 번 나올 인재들입니다. 그 두 사람 또한 올해 입상했으니 내년에는 낭군께서 틀림없이 순위에 들 것입니다."
서서히 온달이 고개를 끄덕였다.
홍이가 벼슬길에 나아갔으니 축하해주는 게 마땅했으나 홍이는 잔치 이야기를 꺼내지 못하고 있었다. 온달모의 마음을 상하게 하고 싶지 않아서였다. 평강이 온달과 그의 형제들에게 말했다.
"이토록 경사스러운 일을 그냥 넘겨서야 되겠습니까. 내일이라도 당장 마을사람들과 잔치를 여는 게 어떻겠습니까."
홍이가 손사래를 치며 사양했으나 평강과 형제들의 뜻을 꺾지 못하였다. 집집마다 돌아다니며 마을 사람들을 초대했다.
잔칫날 수많은 이웃사람들이 홍이를 축하해주었다. 비렁뱅이 아이가 이렇듯 장성했다며 제 일처럼 기뻐해주었다. 잔치는 한 번으로 그치지 않았다. 홍이가 잔치에 찾아온 어느 처자와 눈이 맞은 것이었다. 두 사람은 서

둘러 혼례를 올렸다. 상투를 올리지 못한 두치가 우마리에게 푸념을 늘어놓았다.

"벼슬길에 나가니 중매쟁이들이 우르르 몰려오고, 금세 저렇듯 어여쁜 처자가 생기고, 대체 세상인심이란 게 왜 이럴까?"

우마리가 두치에게 말하였다.

"진짜 몰라서 묻는 거야? 설마 구걸하러 다니던 때를 벌써 다 까먹은 거야?"

두치는 고개를 끄덕였고 온달은 이를 악물었다. 무예를 더 갈고 닦는 수밖에 없었다.

어느 날 사냥 연습을 한다며 이곳저곳 돌아다니는 온달과 두치에게 평강이 말했다.

"이리저리 옮기는 거보다 낙랑의 들에서 지형을 익혀두는 게 훨씬 낫지 않겠습니까."

평강의 말을 듣고 두치는 어이없어 웃음을 보였고 온달은 탄식을 했다.

"이 간단한 생각을 여태 왜 못했을까."

온달과 두치가 말을 타고 자주 낙랑의 들을 누비는 동안 해가 바뀌어 576년이 되었다. 겨우내 움츠렸던 나뭇가지에 새싹이 돋아나고 꽃망울이 생겼다. 나비가 날아들었고 남쪽으로 갔던 철새들이 고구려를 다시 찾아왔다. 온달과 두치를 태우고 집으로 향하는 말의 다리에도 힘이 붙어 있었다.

오랜만에 집에 들른 온달에게 평강이 회임 소식을 전하였다. 온달은 평강의 손을 잡고 아주 오랫동안 얼굴을 바라보았다. 새 옷으로 갈아입고 온달은 두치와 함께 낙랑의 들로 향했다. 내일모레가 사냥대회가 열리는 삼짇날이었다.

그해 낙랑에서 열린 사냥대회는 싱거웠다. 다른 참가자들이 잡은 사냥감을 헤아릴 필요도 없이 저 푸른 옷을 입은 사람이 일등이었다. 워낙 압도적이었으므로 평원왕이 직접 그 사람을 찾아 불렀다. 그가 대령하자 평원왕이 이름을 물어보았다.

"온달, 성은 온, 이름은 달이옵니다."

평원왕은 기겁했다. 온달이라니, 같은 이름인 것인가. 평강의 남편 온달일 리가 없을 듯싶었다. 고개를 갸웃거리던 평원왕이 온달의 얼굴을 한참 쳐다봤다. 평원왕은 온달의 얼굴에서 지난날 데릴사위의 얼굴과 그 아비 온지추의 얼굴을 보았다. 이 얼굴을 보고 있기 싫어졌다. 온달에게 물러가라 하였을 뿐 평원왕은 지난해처럼 즉석에서 사냥대회 참가자들에게 벼슬을 내리지 않았다. 온달은 자리에서 물러날 수밖에 없었다.

온달과 차이는 많이 났지만 4등을 차지한 두치도 실망하였다. 두치는 억울했어도 대왕이 내린 결정에 끙끙거릴 뿐이었다. 일등인 온달도 벼슬을 받지 못했다. 낙심한 두치와 온달에게 평강이 말했다.

"제가 가서 따지겠습니다. 왜 사냥대회에서 일등을 차지한 사람에게 벼슬을 내리지 않느냐고요. 왜 지난날의 관례를 이번에는 무시하느냐고요."

"누구에게 따질 것이오?"

"그야 물론."

평강은 말을 잇지 못했다. 온달이 말했다.

"공주가 만약 입궐하여 내 벼슬을 가져오면 사람들은 특혜라 할 테고 가져오지 못하면 사람들이 벼슬을 내리지 않은 대왕을 더 탓할 거 아니오. 아니 가는 게 좋겠소. 조금 더 기다려봅시다."

이 난감한 소식을 평강과 온달은 한동안 어머니에게 전하지 못하였다. 나중에야 사실을 알게 된 온달모는 크게 역정을 내었다. 온달모가 평원왕을 저주하듯 원망하며 그 딸 평강에게 역정을 냈다. 온달이 벼슬을 받지 못한 것은 그 누가 봐도 평강이 온달의 아내인 탓이었다. 평강은 고개를 들 수가 없었다. 온달모의 타박은 쉽게 수그러들지 않아 평강이 회임하지 않았으면 쫓겨났을지도 몰랐다.

평강을 탓하는 사람은 온달모만이 아니었다. 지아루는 심지어 평강을 무시하기까지 했다. 고구려의 대왕이 딸로 인정하지 않는데 평강이 어찌 공주냐고, 일개 백성일 뿐이라고 하였다. 영 틀린 말은 아니었다. 시녀 소운이 평강을 모시고 방 안으로 들어가고 두치가 지아루를 집에 데려다주는 것으로 이 일은 마무리됐다.

지아루는 남편 우마리 덕에 호사스럽게 살고 있었다. 그녀는 특히 평강과 온달 앞에서 부유함을 자랑하였다. 지난날 그녀를 택하지 않은 온달에 대한 앙갚음이었다. 지아루는 우마리와 가정을 꾸린 걸 뿌듯해했다. 재물이 넘쳐나니 남들에게 아쉬운 소리를 할 일도 없고 부끄러운 손을 더 이상 내밀지 않아도 되었다. 돌이켜보니 그때 평강이 온달을 찾아온 게 다행이었다.

먼 하늘을 올려다보며 온달이 한숨지었다. 망아지처럼 날뛰는 지아루 때문이 아니었다. 앞날이 막막하였다. 평원왕이 살아있는 한 벼슬길은 불가능했다. 무예로 출사하지 못하면 글이 있었다. 하지만 사서삼경이 아니라 세상 모든 서책을 꿰어도, 평원왕의 마음이 바뀌지 않는 한 아무런 소용이 없을 터였다.

한결 매서워진 바람 끝에 창백한 달빛마저 따뜻하게 느껴지는 한겨울이었다. 평강이 온 힘을 다해 사내아이를 제 몸 밖 세상으로 밀어냈다. 사내아이의 울음소리가 담장을 넘어 우렁차게 퍼져나갔다. 평강과 온달의 집을 찾아 아들의 탄생을 하례하는 이들은 많지 않았다. 형제들과 몇몇 사람만이 온달의 집에 발걸음을 하였을 뿐이었다. 하객들 가운데 같이 가자며 홍이가 데려온 청년 강이식과 을지문덕이 있었다.

온달은 강이식과 을지문덕을 반갑게 맞았다. 그들과 온달은 이미 두어 차례 사냥을 하고 술잔을 기울인 사이였다. 사냥대회를 통해 같은 해에 출사한 홍이가 온달과 그들 사이의 다리가 돼주었다. 그들과의 사귐은 평강도 적극 권유했었다. 궁궐에 있을 때부터 평강은 강이식과 을지문덕의 이름을 들어왔고, 그들의 이름이 장차 고구려의 역사를 빛나게 장식할 것임을 알았다. 온달은 강이식, 을지문덕과 더불어 5부의 개혁을 논하곤 했다. 제국으로 웅비하는 고구려에게 한때 융합의 상징이었던 5부족 제도는 화합을 막는 병폐가 되었다.

아들을 얻은 온달에게 오늘은 즐거운 날이었다. 아기를 품에 안고 기뻐하는 온달에게 강이식이 아기의 이름을 지었냐고 물어보았다. 온달은 자식 이름을 아직 지어두지 않고 있었다. 강이식이 권후權侯란 이름은 어떠냐고 하니 온달이 좋다며 그 아들을 온권후溫權侯라 하였다.

평강은 아들의 이름을 마뜩하지 않아했다. 권후보다 권명權明이 좋을 듯 싶었다. 밝고 올바른 아이가 되었으면 싶었다. 남편 온달의 앞날에도 서광이 비추기를 평강은 염원하였다.

*

577년 주나라 무제 우문옹宇文邕이 마침내 제나라를 멸망시켰다. 주무제는 제나라로 만족하지 않았다. 그는 내친김에 고구려를 공격할 참이었다. 평원왕은 주나라의 기세를 꺾어야겠다고 판단했다. 우문옹이 쳐들어오길 기다렸다가 방어만 해서는 안 되었다. 이에 평원왕은 직접 대군을 거느리고 출전하기로 결단을 내렸다. 단번에 기선을 제압하려면 대규모 병력일수록 효과적일 터였다. 약한 상대와 싸우면 쉽게 이길 테고 다음 싸움에서 강한 상대를 만나도 승리할 가능성이 높아졌다. 승리는 승리를 부르기 쉬웠다.

평원왕은 고구려 전역에 출전을 알려 자원병을 모집하고 돌궐과 거란에게도 참전을 독려하였다. 을산가와 고탄은 물론 강이식과 을지문덕도 출전 채비를 했다.

온달과 형제들에게 고구려와 주나라의 전쟁이 임박했음을 제일먼저 알려준 사람은 우마리였다. 불과 수년 만에 우마리는 거상이 되었는데, 거상들은 정보에 민감하기 마련이었다.

우마리와 지아루 부부의 얼굴은 그 탐욕이 드러나 있었다. 우마리는 온달을 비롯한 형제들과 지인들과의 교류에서도 제 이익만 취하는 일도 서슴지 않았다.

"유붕이 자원방래…"

지인을 만나면 우마리는 이 말부터 꺼냈다. 우마리의 행태를 보다 못해 어느 날 두치가 큰맘 먹고 우마리에게 말했다.

"오늘도 그 유붕이라면, 다음부터는 우리 집에 오지 마."

두치는 우마리에게 뼈있는 농담을 했다. 형제들은 가난했던 시절의 우마리를 아니까 그 욕심을 이해해주겠지만 다른 사람들은 그러지 않을 것이었다. 우마리는 사람이 변했다는 말을 종종 듣곤 했다. 우마리도 그러한 사실을 굳이 감추려하지 않았다. 의형제들에게 그는 이렇게 말한 적이 있었다.

"어느 순간 돈이 마구 불어나더라. 재산이 많아지니까 내가 바라보는 세상이 나도 모르게 변하더라. 파리모기 같은 사람이랑 하루 내내 있어봐야 돈 못 벌어. 내가 한때 그런 파리모기 같은 사람이었는데도 나도 모르게 가난하고 비천한 사람들을 무시하게 되더라."

온달이 우마리에게 말했다.

"돈에도 길이 있을 거 아냐? 네가 상도에서 많이 벗어나지 않았으면 좋겠다."

"걱정하지 마. 그리고 너희들을 모른 척하진 않을 테니까."

두치가 우마리에게 말했다.

"모른 척하지 않으면?"

"눈 딱 감고 삼 년만 기다려봐. 천리마의 꼬리에 가만히 붙어있기만 해도 천 리를 갈 수 있어."

우마리는 주나라와의 전쟁이 장기화 될 것으로 예측했다. 그는 빚까지 얻어 식량을 마구 사들였다. 상인들은 물론 일부 왕족과 귀족까지 식량을 사들이자 하루가 다르게 곡물 값이 올랐다. 그들은 전쟁이 길어져 백성들이 비축해둔 식량이 바닥을 보이기를 바랐다. 백성들의 고통이 심하면 심할수록 그들은 더 부자가 될 것이었다. 그들의 계산에는 고구려의 패전과 멸망은 빠져있었다. 고구려는 육백 년 동안 동방 최고의 강대국이었다. 전쟁이 길어질 수는 있어도 고구려가 망할 일은 없다고 확신했다.

사냥대회에서 일등을 차지하고도 벼슬길에 나가지 못한 온달은 처음에는 참전할 뜻이 없었다. 하지만 언제까지나 두 손을 다 놓고 마냥 기다릴 수는 없는 노릇이었다. 전기를 마련할 생각에, 온달이 온달모에게 참전하겠다고 하였다. 온달모가 소용없는 일이라며 온달을 말렸다. 글공부를 더 해서 지혜를 더 키워 아버지의 땅과 유골을 되찾으라고 하였다. 온달모에게 두치가 온달과 함께 전장에 나가겠다고 하였다.

온달과 두치가 홍이를 찾아가 결심을 알렸다. 서로의 손을 꽉 움켜쥐고 셋 다 출전하기로 다짐하였다. 돼지를 잡아 엄숙하게 출정의식을 거행하였다.

이날 평강은 남몰래 눈물을 흘렸다. 온달이 전쟁터로 가는 것은 그녀 탓이 컸다. 전장으로 나가라 말할 수도 없었고 가지 말라 얘기할 수도 없었다. 평강이 젖먹이 아들을 품에 꼭 껴안았다.

평원왕은 북부와 서부에서 차출한 군사를 우군으로 삼고 동부와 남부를 좌군으로 삼았다. 중부의 군사와 대왕의 친위대를 중군으로 삼았다. 고구려에서 제일 용맹한 말갈 기병과 돌궐, 거란 등의 외국 군사도 중군에 배속시켰다.

좌군을 이끄는 대모달은 동부 막리지 연자유淵子遊, 우군을 이끄는 대모달은 을산가를 삼았다. 북부 막리지 을두노가 연로한 탓이기도 했지만 젊은 을산가에게 기회를 주려는 속내가 작동했다. 을산가는 그와 안면이 있는 강이식과 을지문덕을 부장으로 삼았다. 젊은 그가 나이든 장군을 부장으로 삼는 것을 꺼리어서였다.

을산가가 출전하기 전 을두노가 그를 찾아 불렀다.

"온달이 전공을 세우지 못하도록 놈을 후방부대에 배치해라."

을산가가 고개를 주억거리는 사이 을두노가 말을 바꾸었다.

"아니다, 그것이 아니다. 내가 큰 실수를 할 뻔했구나. 차라리 온달을 최전선에 배속시켜 아예 사지로 몰아가라."

"명심하겠습니다."

북부는 여전히 평강의 부마 자리를 포기하지 않고 있었다.

평원왕이 대군을 이끌고 요동으로 나아갔다. 우문옹이 이끄는 주나라군의 행군 속도로 보아 전장은 배산拜山 옆에 펼쳐진 너른 들이 될 것이었다.

연자유가 좌군에게 돌격 명령을 내리며 전투가 시작되었다. 사방이 군악대의 북소리와 징소리였다. 말발굽 소리와 칼과 창이 맞부딪히는 소리 또한 작지 않았다. 생과 사의 갈림길에서 십여만이나 되는 인간이 내지르는 함성 또한 만만치 않았다. 머리가 잘려나갔고 팔다리가 베어졌다. 을산가가 눈앞에 펼쳐진 전장을 바라보았다. 멍한 눈이었다. 전쟁은 말로 듣던 것과 달라도 너무 달랐다. 막상 혈투가 벌어지자 을산가는 앞장서기가 두려웠다. 영웅, 승리, 개선 등은 허울이었다. 전쟁은 공포와 비명 그리고 피의 죽음이었다. 을산가의 간담은 한없이 움츠러들었다.

제나라를 멸망시켜 사기가 오른 주나라의 대군은 만만치 않았다. 평원왕이 우군에게 진격명령을 내렸다. 그런데 우군은 움직이지 않았다. 을산가는 머뭇거리고 있었다. 좌장군 강이식이 대신 돌격명령을 내렸다. 이어 우장군 을지문덕도 돌격명령을 내렸다. 대사자로 승진한 홍이가 온달과 두치와 함께 선봉에 섰다.

돌격 명령이 떨어지자마자 홍이와 두치가 말릴 새도 없이 온달은 적진을 향하여 말을 몰았다. 아무에게도 얘기하지 않았을 뿐 출전을 선언한 순간 온달은 이미 죽음을 각오했다. 지금처럼 한평생을 산다면 갓 태어난 아들을 볼 면목이 없었다. 아버지의 원한을 갚을 길 또한 없었다. 어머니와 평강을 생각해서라도 무언가 반전의 계기를 마련해야 했다.

온달이 탄 비류는 고구려에서 제일가는 안목의 마부가 손꼽은 말이었다. 평강의 오랜 정성과 온달의 남다른 각오가 비류에게 전해졌을 것이었다. 반은 비류를 믿고 반은 그 자신을 믿고 온달은 적진 깊숙이 들어갔다.

문득 온달은 저 멀리 주무제를 보았다. 황제의 목만 벨 수 있다면, 온달은 오로지 주무제만을 노렸다. 온달이 주무제를 목표로 삼았듯 주나라군의 목표도 앞장선 온달이었다. 온달에게 덤빈 주나라군이 쓰러지면 새로운 군사가 온달의 앞을 가로막았다. 멈출 수는 없었다. 표적이 바로 코앞에 있었다. 여기서 지금 멈춘다면 죽어서도 여한이 될 것이었다. 온달이 휘두르는 창에 쓰러진 주나라군이 어느덧 수십 명을 헤아렸다. 고구려군과 주나라군은 물론 평원왕과 주무제도 온달을 바라보았다. 눈으로 보고도 믿기 힘든 광기였다. 생사를 초월한 인간만이 저렇게 미친 듯 용기를 낼 것이었다.

잠시 뒤 온달은 적의 시선을 끈 대가를 치러야 했다. 주나라 군사들에게 겹겹이 포위되었다. 고군분투하던 온달은 마침내 힘이 다했다. 주무제의 모습이 흔들리듯 보였다. 비류가 다른 말보다 빨리 내달리는 덕에 온달은 간신히 목숨을 부지하고 있을 뿐이었다.

홍이와 두치가 구원병을 데리고 온달을 향해 달려왔다. 필사적으로 온달의 활로를 터주었다. 온달이 비류를 몰아 고구려 진영으로 돌아오는 동안 뒤로 쳐진 두치가 등에 주나라군의 화살을 맞았다. 덩치가 큰 홍이가 두치를 안다시피 해서 무사히 고구려 영채로 돌아왔다.

고구려군이 부상당한 두치를 돌보는 사이 온달이 물을 들이키며 한숨 돌리었다. 온달이 목을 축이는 동안 비류도 물을 마셨다. 질겅질겅 육포를 씹어 허기를 달래며 온달이 적진을 노려보았다. 이제 어찌할 것인가. 군사들은 온달을 지켜보기만 할 뿐이었다. 평원왕도 마찬가지였다. 평원왕은 그동안 잊고 살았던 고명딸아이의 모습을 떠올리려 했으나 평강의 얼굴이 잘 그려지지 않았다.

비록 큰 전공은 아니었어도 온달은 적진을 들쑤셔놓은 공은 세웠다. 하지만 이정도로 달라질 것은 아무것도 없으리라. 말 등에 오른 온달이 다시 주나라 진영을 향하여 치달렸다. 이번에는 무거운 장창대신 칼을 휘둘렀다. 주나라군 여럿이 득달같이 온달에게 덤벼들었다. 칼날이 인육이 흘린 선혈을 토해냈고 대지는 그 뜨거운 피를 받았다. 온달의 칼에 죽어간 주나라군이 또 수십을 헤아렸다.

주무제 곁에 서 있던 거란의 왕자 무카사가 말했다.

"황상, 제가 저 고구려 놈을 잡아오겠습니다."

무카사가 온달을 향해 말을 달려왔다. 그는 제대로 싸워보지도 못하고 온달의 단 칼에 낙마해버렸다. 주무제가 온달을 노려봤다. 입고 있는 갑옷으로 보아 저 고구려군은 일개 병사였다. 겉으로 뿜어져 나오는 저 결연한 기세로 그의 심경을 들여다보았다. 살고자 하는 인간은 저렇듯 무방비로 싸우지 않았다. 저놈은 항우와 여포의 환생이라도 된다는 것인가. 패배를 직감한 주무제가 하늘을 보며 탄식을 했다. 그런데 주무제가 퇴각 명령을 내리기도 전에 주나라군 태반이 이미 슬슬 물러서고 있었다.

주무제가 다시 온달을 노려보았다. 온달이 활로 주무제가 있는 방향을 겨냥하고 있었다. 주무제는 온달에게서 시선을 돌렸다. 화살의 사정거리는 주무제가 있는 곳에서 백 보쯤 앞이었다. 몇 차례 화살을 날린 뒤 슬금슬금 주나라군이 퇴각하는 것을 보고 온달은 고구려 진영으로 돌아왔다.

주력부대가 퇴각하는 순간 승부는 이미 판가름이 난 것이었다. 온달의 선전에 사기가 오른 고구려군이 주나라군을 추격하기 시작했다. 단 한 차례의 결투로 고구려돌궐연합군은 만리장성 너머로 주나라군을 몰아냈다.

며칠 뒤 수레를 타고 장안으로 돌아가던 중, 일세의 영걸 주무제 우문옹이 36세로 생을 마쳤다. 온달은 그가 쏜 화살이 주무제에게 명중한 사실을 몰랐다. 설령 화살을 맞은 걸 알았다 해도 별것 아니라 생각했을 것이다. 화살로 사람을 살상하기에는 너무 먼 거리였다. 화살깃과 순간돌풍이 만들어낸 이변이었다.

우문옹이 별세했다는 소식에 평원왕은 기쁨을 감추지 못했다. 평원왕이 대군을 이끌고 몸소 출전해야 할 만큼 우문옹은 대단한 인물이었다. 바싹 긴장했던 평원왕이 오랜만에 호방하게 웃었다. 막리지들과 장군들도 함박웃음을 지으며 평원왕의 막사 앞으로 모여들었다. 전공을 논하라는 평원왕의 하명이 떨어지자 좌군대장군 연자유가 맨 먼저 입을 열었다.

"일등 공훈은 온달입니다."

평원왕이 우군대장군 을산가를 바라보았다. 을산가도 온달의 공적이 제일이라 하였다. 온달의 전공이 최고라고 하지 않는 사람이 하나도 없었다. 내내 고개만을 끄덕이던 평원왕이 드디어 입을 열었다.

"다들 보았을 것이다. 우리 고구려의 아들 온달을. 아! 온달은 진정 고구려의 아들다웠다. 그 어느 감히 누가 아니라고 할 수 있겠는가."

평원왕이 중신들의 얼굴을 하나하나 바라보았다. 신하들도 평원왕의 얼굴을 주시하였다. 평원왕은 회한이 깃든 표정이었다. 엄숙한 목소리로 평원왕이 선언하였다.

"지금 이 순간부터 온달은 고구려의 부마다. 내가 직접 장인과 사위의 예로 그 사람을 영접하겠노라."

평원왕의 명으로 배산의 들에 제단이 마련되었다. 먼저 평원왕이 제단에 올랐다. 온달이 단 앞에 서자 평원왕이 단상에서 내려왔다. 평원왕이 온달의 어깨를 한 번 부여잡은 뒤 그의 손을 그러쥐었다. 같이 단상에 올라 나란히 선 채로 평원왕이 만천하에 선포하였다.

"이 사람이 나의 사위 온달이다. 작위를 주어 대형大兄으로 삼겠노라."

신하들의 입이 떡 벌어졌다. 대형이면 세 번째 관등이었다. 온달의 벼락출세에 막리지들과 귀족들의 얼굴이 하나둘씩 일그러지기 시작했다. 아니꼬웠어도 평원왕의 결정에 토를 달지 못하였다. 온달은 사위로서 벼슬을 받은 게 아니라 공적으로 벼슬을 받았다. 그 전공은 온달이 전쟁영웅 자격을 갖추게 하고도 남았다.

6. 평강과 온달의 갈등

평원왕이 도성으로 개선하기 전 승전 소식이 고구려 전역에 퍼졌다. 온달의 집에 벼슬아치들의 발길이 끊이지 않았다. 평강이 그들을 모두 내치었다. 고구려 백성들은 웃었지만 평강은 웃지 못했다. 온달모는 소리 내어 웃었지만 평강은 웃지 못했다. 온달이 어떻게 전쟁영웅이 됐는지 알고 나서는 더더욱 웃지 못했다. 온달은 죽음을 몰랐다. 죽음이 난무하는 전장에서 죽음을 망각했다. 누군가는 무심의 경지에 이른 일이라지만, 온달은 진정 어리석은 사람임이 틀림없었다.

평강의 또 다른 예상도 빗나가지 않았다. 평강과 온달모와 아직은 갓난아기인 온권후까지 평원왕을 맞이할 차비를 해야 했다. 입궐하기 전 평원왕이 온달의 집을 들렀다. 평원왕이 온달모의 손을 한 차례 잡아주며 그간의 고초를 위로하였다. 이때 온달모는 펑펑 울어 평원왕을 난처하게 하였다. 온달이 온달모를 방으로 데려가는 사이 평원왕은 아주 오랫동안 평강의 얼굴을 바라보았다. 외손자 온권후를 품에 안은 채였다.

오랜만에 평강과 마주앉은 평원왕은 시간 가는 줄 모르고 담소를 나누었다. 새벽이 되도록 평원왕이 궁궐로 돌아갈 기미를 보이지 않자 궁궐 안팎에서 난리가 났다. 다음날 낮에 태자가 온달의 집을 찾아와 부왕인 평원왕을 모시고자 하였다. 먼 길을 온 데다 날까지 샌 평원왕이 몸을 일으키었다. 그 와중에도 평원왕은 온권후를 품에서 놓지 아니하였다. 평원왕이 입궁하는 길에 십만이 넘는 백성들이 마중 나와 그의 업적을 기렸다. 평원왕이 백성들을 가리키며 옹알이하는 온권후에게 말했다.

"봐라, 저 백성들이 기뻐하는 모습을. 이게 군왕노릇을 하는 보람이 아니겠느냐. 언젠가 이 할애비가 네게 성을 하나 줄 테니 잘 다스려보아라. 길이길이 백성들의 칭송을 듣는 성주가 한번 돼보거라."

평원왕은 그간 헤어져 있었던 만큼 평강 부부와 더 가까이 있으려 했다. 궁으로 돌아오자마자 안학궁 안에 평강과 온달, 손자 온권후가 언제든 머물 수 있도록 서옥을 새로 지으라고 명했다. 왕족들이 궐 안에 이미 출가한 공주의 서옥을 짓는 일은 불가하다고 아뢰었다. 막리지들 또한 불가하다는 제가회의의 입장을 평원왕에게 고하였다. 평원왕후와 왕자들까지 나서 반대했으나 평원왕은 막무가내였다. 최후로 평강이 나섰다. 평원왕이 평강에게 말했다.

"평강아, 지난 십 년간 네가 내 말을 듣지 않았으니 나도 향후 십 년간 네 말을 듣지 않을 것이니라."

이렇게 말하면서 웃음을 보이는 평원왕에게 평강은 아무런 말도 하지 못했다. 결국 평강마저 평원왕의 고집을 꺾지 못해 서옥 공사가 시작되었다.

평원왕은 그 옛날 평강을 품에 안고 정사를 돌봤던 것처럼 온권후를 품에 끼고 살았다. 이 정도로는 성이 차지 않아하였다. 평원왕은 갓난아기인 온권후에게 안시성 성주 벼슬을 내렸다.

안시성은 비록 작은 성이었으나 삼천 년 역사를 자랑했고 동명성왕의 제사를 모시는 곳이기도 했다. 평원왕이 평강의 아들에게 안시성을 하사한 것은 은성 때문이었다. 은성은 안시성에 부속된 작은 성인데, 산 전체가 은덩어리라는 은산銀山을 관할하였다. 이 은산 덕에 안시성은 살림이 넉넉한 고구려에서도 부유한 고을이었다.

왕족들과 귀족들은 보름 넘게 온권후의 안시성 성주 임명을 반대하였다. 평강과 온달도 반대에 동참했으나 세상은 이번에도 평원왕의 뜻을 꺾지 못하였다. 평원왕은 평강과 온달을 모른 체했던 지난날을 모조리 되돌리고 싶어 했다.

평강이 사라진 후 기세등등했던 평원왕후는 혜성처럼 다시 등장한 평강 앞에서 기를 피지 못하였다. 백성들은 평강을 사랑하였고 영웅 온달을 떠받들었다. 백성들 사이에서 우문옹이 주나라로 돌아가자마자 사망한 것은 온달에게 당한 상처 때문이라는 말이 돌았다. 풍문이 사실이든 아니든 상관없었다. 평원왕이 직접 출전하여 주나라와의 전쟁에서 승리를 거둔 뒤 왕은 권위가 섰고 제가회의는 기세가 예전만 못하였다. 이러한 평원왕이 만천하에 드러내놓고 행하는 비호 아래 온달은 단박에 고구려 조정의 실세 중의 실세로 떠올랐다.

우마리가 의형제 온달을 찾아왔다. 축하하러 온 것이 아니었다. 온달 앞에서 우물쭈물하다 우마리는 쫄딱 망했다고 고백했다. 주나라와의 전쟁이 이렇듯 단기전으로 끝날 줄은 꿈에도 생각지 못하고 식량을 닥치는 대로 사재기해둔 탓이었다. 이게 다 너 때문이라고, 온달 네가 전쟁을 너무 빨리 끝낸 탓이라고, 옛날 같았으면 농담이라도 한마디 할 터인데 이건 농담으로 해결될 일이 아니었다. 우마리가 온달에게 말했다.

"옛정을 생각해서 제발 한 번만 도와줘."

"이런 일 해결하는 건 아마 우리 평강이 제일일걸. 나도 평강에게 선처를 당부할 테니 지아루와 함께 평강을 한번 만나봐."

"하지만 평강이, 아니 공주님이 지아루를 미워하고 있을 텐데."

"평강은 그런 사람 아니야."

해질 무렵 평강의 처소 앞에 당도한 지아루가 우마리의 손을 꼭 잡았다. 그녀는 우마리보다 더 긴장하고 있었다.

"저는 당신만 믿어요. 당신은 금세 재기할 수 있을 거예요."

"들어갑시다."

평강과 마주한 우마리와 지아루가 넙죽 엎드렸다.

"공주님."

평강이 말했다.

"일어들 나세요."

지아루는 평강 앞에서 감히 고개를 들지 못하였다. 우마리가 지난날의 과오를 용서해달라며 지아루 몫까지 평강에게 빌었다. 평강이 말했다.

"재기를 돕겠습니다. 대신 조건이 하나 있습니다."

평강은 우마리에게 고구려의 이익에 반하면서까지 돈을 벌어들이진 말라는 조건을 달았다. 우마리가 평강에게 나라의 이익과 그의 이익이 충돌할 때는 국익을 우선하겠노라 맹세했다. 평강이 옛날에 살던 집의 디딤돌을 들춰보라고 하였다. 단지 이 말만을 하였다.

우마리와 지아루가 옛 집을 찾아가 디딤돌 아래를 뒤졌다. 그곳에서 우마리는 금팔찌 수십 개를 찾아냈다. 이것은 분명 평강이 궐에서 나올 때 가져온 금팔찌였다. 우마리가 말했다.

"평강공주가 돈이 없어 지난날 그리 비루하게 산 것이 아니었소. 검소하게 산 그녀가 우리보다 더 부자였던 게요. 마음도 더 부자고."

지아루는 아무 말도 하지 않았다.

어느 날 평원왕이 온달에게 그의 소원이 무엇인지 물어보았다. 조금도 망설이지 않고 온달이 대답하였다.

"아버지의 철천지원수를 갚는 것이옵니다."

"사위의 그 심정은 알고도 남는다. 하지만."

신라에 복수할 수 있도록 군사를 내어달라는 온달의 주청에 평원왕이 고개를 저었다. 평원왕이 온달의 그다음 소원을 물어보았다. 온달이 말했다.

"다른 사람도 아닌 성상폐하의 벗, 그분의 원수를 갚는 것이옵니다."

"아니니라. 그 친구도 나처럼 복수보다 사위의 행복을 바라고 있을 것이니라."

마지못해 온달이 수긍하는 척하자 평원왕이 하명하였다.

"다른 소원을 말해보거라."

온달은 강이식과 을지문덕, 홍이와 두치의 벼슬을 높여주길 청했다. 어려운 일은 아니었다. 주나라와의 전쟁 때 그들도 공을 세웠다. 평원왕은 온달의 뜻에 따라 그들 모두의 관등을 올려주었다.

"또 다른 소원은 없는가?"

"그러하옵니다."

"그렇다면, 이보게 사위, 이번엔 내가 부탁 하나 하겠네."

"하명하십시오."

"사냥을 가도 좋고 유람을 다녀도 좋네만, 우리 평강이와 하루이틀 이상 떨어져 있지 말게. 나랑 약조할 수 있겠는가?"

"그리하겠습니다."

"나의 뜻이, 그 약조가 무슨 의미인지 아는가?"

"잘 알고 있사옵니다."

평원왕이 입시하고 있던 내관에게 명했다.

"여봐라, 대형 온달을 태대형으로 삼겠노라."

평강의 가족을 위해서라면 무슨 일이든 할 것 같았던 평원왕은 온달에게 군사는 내주지 않고 벼슬을 올려줬다. 온달은 위풍과 권세가 나날이 성하여졌다.

"공주님, 안녕하십니까?"

"장군님, 안녕하세요?"

길을 오가다 마주치는 백성들은 평강과 온달 부부 앞에서 움츠러지지 않았다. 평강과 온달은 왠지 친근했다. 궐 안에 머물고 있을 때에도 그 부부는 제 이웃집에 사는 거 같았다. 반면 지난날 평강과 온달을 등한시했던 왕족과 귀족들은 이 부부 앞에서 설설 기었다. 평강과 온달의 눈치를 보는 사람들은 그들만이 아니었다. 패전국 주나라는 물론 다른 나라들도 고구려조정의 실세 평강과 온달에게 눈도장을 찍고 싶어 하였다.

이렇듯 주요 인물로 부상한 평강과 온달을 시기하고 질투하는 사람이 없을 리 없었다. 태자 다음 고구려 왕위를 노리는 둘째왕자 고건무의 심기는 편치 못했다. 만약 온달의 힘이 대왕의 힘을 능가한다면, 그 힘으로 온달이 평강공주를 왕위에 올리면 어찌할 것인가. 둘째왕자는 평원왕후와 더불어 평강을 모략할 기회를 엿보았다.

벼슬길에 나갔어도 두치는 혼인을 하지 않고 있었다. 오랜만에 가족 모두가 모인 가운데 자연스레 두치의 혼사 이야기가 나왔다. 두치는 고개를 가로저었다. 두치가 벼슬이 아닌 그만을 사랑해줄 여인이 나타나길 기다리겠다고 하였다. 그 말을 듣고 홍이가 두치에게 말하였다.

"그럼 아마 평생 기다려야 할 거야."

"아니거든."

두치가 투덜거리는 사이 다들 웃었다. 온달모가 온달에게 물었다.

"대왕께서 군사를 내준다고 하시더냐?"

"안 된다고 하십니다."

"왜 그것만 안 된다는 말이냐!"

"너무하시는구나! 어찌 그럴 수가 있단 말이냐!"

온달모가 평원왕을 원망하는 지경에 이르자 되도록 온달모 앞에서 말을 아꼈던 평강이 말하였다.

"주무제가 죽은 뒤 서쪽은 혼란스럽기 그지없습니다. 지금 손을 써두지 않으면 훗날 더 큰 고통을 감내해야 할 것입니다."

온달이 평강에게 말했다.

"그건 남쪽도 마찬가지잖소."

온달모가 평강에게 말했다.

"우리 평강공주님께서 대왕께 군사를 주지 마라 하신 겝니까!"

온달모는 평강을 타박하였고 온달은 평강에게 실망하였다. 온달 모자 앞에서 드러내지 않았어도 실망하기는 평강 또한 매한가지였다. 너도나도 부러워한 이 부부의 화목도 영원하진 않았다. 평강이 궐 밖으로 나온 뒤 두 사람은 서로의 한쪽 날개가 되어 의지하며 살아왔다. 지금 평강의 눈은 온달과 달리 복수만을 바라보고 있지 않았다. 온달의 응어리진 마음을 헤아렸기에 보다 적극적으로 말리지 못했을 뿐이다.

이날 밤 온달모가 작심하고 온달 부부를 찾아 불렀다. 두 사람 앞에 화살촉을 내밀었다. 그것은 온지추의 몸에 박혔던 화살촉들이었다. 아버지의 죽음, 말로 듣는 것과 실증을 눈으로 보는 것은 달랐다. 온달은 온달모 앞에서 피의 복수를 맹세했다.

밤새 온달은 붉은 강물이 검흐르는 꿈을 꾸었다. 평강이 가끔씩 온달의 이마에 맺힌 땀방울을 닦아주었다. 그녀는 군사들끼리 주고받은 전장에서의 온달의 활약상을 들은 뒤 한참동안 전율했었다. 그리고 온달이 누군가에게 맥없이 끌려가는 악몽을 꾸곤 했다. 새벽까지 잠을 이루지 못한 평강은 동이 트는 대로 동신성모지당에 가야겠다고 마음먹었다. 왠지 그곳에 가면 마음이 평안해졌다.

*

우문씨 대신 양견楊堅이 581년 황위에 오르며 나라이름을 수隋로 바꾸었다. 수문제 양견은 황후와 함께 정사를 돌보았다. 매사를 둘이 의논했는데 수문제가 황후의 의견을 따르는 경우가 많았다. 정권교체 후 수나라가 조기에 안정되고, 세인들이 수문제 부부를 두 성인이라 칭송한 것은 태반이 황후 독고가라獨孤伽羅 덕이었다.

오래지않아 돌궐이 수문제를 성인막연가한聖人莫緣可汗이라는 존칭으로 불렀다. 수나라의 국력을 인정하는 것이었다. 돌궐이 자세를 낮추자 자연스레 수나라와 고구려 사이에 긴장감이 돌았다. 수나라에게 맞설 수 있는 나라는 이제 고구려밖에 없었다. 하나가 된 중원은 평강의 말처럼 고구려에게는 큰 우환이 되기 마련이었다.

586년 드디어 고구려의 장안성이 완공되었다. 전체 성벽 길이가 육십리에 달할 정도로 거대한 성이었다. 성 밖의 두 강을 천연 해자로 삼아 봉우리의 능선을 따라 성벽을 축조했다. 성 안에 동명성왕과 유화부인을 모시는 구제궁과 동신성모지당을 두어 왕실의 권위를 더하였다.

평원왕은 장안성 안에 평강부부와 손자가 아무 때고 묵을 수 있도록 서옥을 단장해주었다. 서옥은 지나치게 화려하여 사람들이 온달궁이라 칭하였다. 평강이 거듭 사양하였으나 평원왕은 주청을 받아들이지 아니하였다. 고심 끝에 평강은 사저에서 머물다 가끔 궁에 들르는 방식을 택했다. 평강이 서궁에 오랫동안 얼굴을 비치지 않으면 평원왕이 평강의 사저로 거둥하였다. 왕족들과 귀족들은 평강부부를 시샘했고 백성들은 왕과 공주가 아닌 아버지와 딸의 화목을 아름답게 여기었다.

복수를 두고 틈이 생겼어도 평강과 온달의 생각이 완전히 갈라선 건 아니었다. 평강은 온달과 더불어 5부족 제도를 폐지하려 하였다. 데릴사위가 오랜 관습이듯 5부족도 무시하지 못할 전통이었다. 평강 부부가 힘을 합했어도 5부족 제도만큼은 손대지 못하였다.

5부족제도를 없애지 못하자 고구려 조정은 두 편으로 나뉘었다. 온달의 남벌우선책南伐優先策에 동조하는 부족과 이에 반대하는 부족의 서토안정책西土安靖策이었다. 서토안정책은 동부 막리지 연태조淵太祚가 대표 주자격이었다.

"온달 태대형, 남쪽은 그 무엇이 걱정입니까? 신라와 백제 두 나라가 서로를 견제하게 하여 우리 고구려를 넘보지 못하게 만들어놓으면 되지 않겠습니까? 서쪽 중원을 안정시켜 다스리는 게 먼저입니다. 수나라가 진나라의 힘까지 더하면 우리 고구려로서도 그 힘을 감당키 어렵습니다. 서토가 하나가 되는 걸 막아야 합니다. 지금당장 진나라와 손을 잡고 수나라부터 공격해야 합니다."

"아닙니다. 제 생각은 다릅니다. 신라를 멸하고 백제를 합쳐 힘을 하나로 모은 후에 수나라와 맞서야 합니다."

"제 의견은 온달 태대형과 같습니다."

뜻밖에 을산가가 온달의 남벌우선책을 지지하고 나섰다. 그는 이제 북부 막리지였다. 평강의 유모를 죽인 일이 들통 나는 바람에 실각한 을두노를 대신하고 있었다. 남벌우선책과 서토안정책, 두 편의 대립은 팽팽했다. 결정이 나지 않으면 현재 상태가 유지되기 쉬웠다.

집으로 돌아와 저녁밥을 먹으면서도 남벌우선책을 피력하는 온달에게 평강이 말했다.

"제 판단으론 서쪽 중원이 먼저입니다. 우리 고구려가 아니면 그 누가 있어 저들을 막아내겠습니까? 백제가요? 신라가 할 수 있겠습니까? 어림도 없는 일입니다."

온달이 쉽사리 수긍하지 않으니, 정색을 하고서 평강이 온달에게 물어보았다.

"낭비성과 그 일대는 누구의 땅입니까?"

"아버지의 땅이고, 내 땅입니다."

"제 생각은 다릅니다. 그 땅은 낭군의 땅이 아닙니다. 그럼, 고구려 태왕의 땅이냐고요? 아닙니다. 백제왕과 신라왕의 땅 또한 아닙니다. 그 땅은 말입니다. 그 땅을 일구며 살아가는 백성들이 진짜 주인입니다."

"공주, 땅을 기반으로 해서 살아가는 건 백성들이 맞소. 하지만 백성들끼리 스스로 살 수는 없소. 누군가가 나서 외적을 막아줘야 하오. 또 누군가는 백성들이 지나치게 많은 세를 내지 않고 편안하게 살 수 있게 해줘야 하오. 아니 그렇소? 백성들은 선정을 베푸는 임금을 만나는 것만으로도 만족할 것이오. 두고 보시오. 내가, 이 바보 온달이 그들에게 행복을 가져다 줄 것이오. 내가 그 땅을 되찾으려는 건 그 땅에서 살아가는 이들을 불행하게 만들려는 게 아니오."

"왜 그 땅이어야 합니까? 아버님의 그 땅이 아니더라도 땅은 있습니다. 다른 땅에서도 얼마든지 행복을 가꾸고 키울 수 있지 않겠습니까."

평강의 말이 틀리지 않아 온달은 더 고민이 깊었다. 어릴 적 평강은 평원왕의 무릎에서 정치를 배웠고 사서를 읽어 역사의 큰 흐름을 알았다. 그 식견을 존중하여 온달은 곧잘 그녀의 말을 경청하고 따랐다. 결국 평강이 만류하는 바람에 온달은 한동안 신라 정벌을 추진하지 않았다.

온달부부는 서재에서 같이 글을 쓰곤 했는데 평강은 서예에도 소질이 있었다. 온달도 그가 쓴 건지 평강이 쓴 건지 구분하지 못할 정도로 평강은 온달의 필적을 잘 흉내 내었다. 온달이 평강에게 물었다.

"어찌 이리 똑같이 쓸 수 있는 것이오?"

"낭군과 제 마음이 같기 때문입니다. 하지만 이 글자를 보십시오. 이 글자는 조금 다르지 않습니까?"

"조금 다르오."

"그만큼이 복수에 대한 낭군과 제 차이입니다."

고개를 끄덕인 온달은 평강을 안아주었다. 아주 오랫동안. 온달이 말했다.

"평강, 당신을 닮은 딸이 있으면 좋겠소."

평강은 둘째를 임신하지 못하고 있었다. 부부가 어울리는 시간이 길어지고 웃음이 잦아지자 온달이 복수를 단념했다고 여긴 온달모가 어느 날 그를 찾아 불렀다.

"내가 스스로 내 눈을 찌른 게 누구를 위해서인 거 같으냐? 나를 위해서가 아니었다. 너를 위해서였다. 대왕의 데릴사위인 네가 무탈하기를 바라서였다. 이제 네가 대왕의 사위가 되었으니 이 어미가 원하는 건 없다. 하지만, 네 아버지는? 네가 복수해줄 날만을 기다리고 있을 것이다. 그분의 머리는 되찾아야 하지 않겠느냐. 이번이 마지막이다. 네게 더 이상 복수를 하라고 하지 않겠다. 가보거라."

온달모는 아들의 눈에 고인 눈물을 보지 못했다. 그 눈물이 기름이라도 된 듯 온달의 복수심이 더 타올랐다. 궁궐에서 쫓겨났을 적에는 철이 없어 잘 몰랐다. 사위로 인정받기 전에는 복수를 엄두도 내지 못하였다. 하지만 이제는 아니었다. 빼앗긴 땅을 되찾아 어머니를 고향땅에서 모시고 싶었다.

온달이 다시 평원왕을 찾아가 군사를 내어달라고 빌었다. 평원왕은 이번에도 온달의 소망을 받아주지 않았다. 대신 온달에게 식읍 일천 호를 더 주었다. 온달은 식읍을 사양하지 않았다. 식읍에서 거둔 조세를 언젠가 군량미로 쓸 요량으로 차곡차곡 저장하였다.

온달은 복수를 단념하지 않았다. 짬을 내어 홍이, 두치와 더불어 고향땅을 수복할 궁리를 하였다. 그리고 해가 바뀔 때마다 온달은 평원왕을 찾아가 군사를 내어달라고 호소했다. 그럴 때마다 평원왕은 온달에게 식읍 일천 호를 얹어줄 뿐 군사를 내어주지 않았다.

평원왕은 세인들이 부러워하거나 시기하는 것이 당연하다 싶을 정도로 손자 온권후를 총애했다. 평원왕은 그의 사후에 온권후의 지위가 흔들리는 일이 없도록 그의 마음을 명문화하였다. 첫째, 온권후를 안시성의 성주로 삼노라. 둘째, 동명성왕의 제사를 온권후에게 맡기노라. 셋째, 안시성 백리 땅은 동명성왕의 제사를 위해 안시성의 봉토로 하노라. 넷째, 온권후에게 왕실의 성 고高를 사성하고 그를 종가 격인 중부에 편입시키노라.

왕족들이 잠잠할 리 없었다. 제아무리 고구려의 우상으로 떠오른 온달의 아들일지라도 이 네 가지 칙령은 왕족들의 기득권을 흔드는 것이었다. 동부 막리지 연태조가 제가회의의 회의결과라며 평원왕에게 주청을 올렸다.

"산 전체가 은덩어리라는 은산을 하사하는 것은 조세를 나누는 것이옵고, 제사를 맡기신다 함은 곧 이 나라의 정통성을 손에 쥐어주는 것과 다름 아니옵니다. 비록 대왕의 손자라 하나, 온권후에게 지나친 부귀를 주시는 것은 당치 않다 사료되옵니다."

평원왕은 크게 노하여 태자와 둘째 왕자를 궁으로 불러들였다. 그리고 그들 앞에서 칙령 하나를 더 발해버렸다.

"너희 둘 뿐만이 아니라 그 누구도 향후 백년 간 오늘의 이 칙령은 손댈 수 없노라."

평원왕은 온권후의 혼사도 도맡다시피 하였다. 그가 손수 배필을 골랐는데, 오부의 세력을 감안해서였다. 평원왕의 낙점을 받은 혼처는 서부 고탄의 가문이었다. 그런데 고탄의 데릴사위가 된 온권후는 장인의 집으로 가지 못했다. 온권후 부부가 머물 서옥을 평원왕이 아예 왕궁에다 차린 까닭이었다. 지난날 사냥대회에서 우승하고도 평강과 혼인하지 못한 보상인 것인가, 고탄은 씁쓸히 웃었다.

평강의 아버지로서, 온권후의 할아버지로서 본분에 충실한 평원왕은 백성들한테도 썩 괜찮은 왕이었다. 훗날 평원왕이 비축해놓은 고구려의 힘을 그 아들 영양왕이 썼고 그 써버린 고구려의 힘을 다시 비축하려 평강이 애썼다.

7. 복수

남부 막리지 온예가 죽자 세인들이 온달을 막리지로 천거하였다. 반대하는 사람이 아무도 없을 줄 알았는데 평강이 반대하고 나섰다. 평강이 차제에 온달에게 모든 벼슬을 사양하라 하였다. 평강의 말이 틀리진 않았다. 부귀와 영화는 누릴 만큼 누렸다. 하지만 온달은 평강의 바람을 들어주지 않았다. 권력을 갖고 있어야 훗날 복수를 도모하기 쉬울 터였다. 제가회의에서 온달은 남부 막리지가 되었다.

온달이 막리지가 되었어도 고구려는 별다른 변화가 일지 않았다. 고구려조정 안은 여전히 남벌우선책과 서토안정책이 양립할 따름이었다. 현실에 안주하는 다른 막리지들과 달리 온달은 불만이었다. 남벌을 실현하기 위하여 온달은 호시탐탐 대막리지 자리를 노렸다.

밥을 먹을 때도 술을 마실 때도 복수를 생각하는 온달은 복수의 화신인 듯싶었다. 평강뿐만이 아니라 의형제들도 온달이 복수를 하지 않았으면

했다. 어느 날 우마리가 온달에게 말하였다.

"온달아, 미안한 얘긴데, 나라면 너처럼 살지 않겠다. 부마인 데다 이미 전쟁 영웅인 네가 뭐가 아쉬워서 복수에 그토록 매달려야 하는지, 이해를 했다가도 어느 순간에는 이해하지 못하겠더라."

고생을 함께했던 의형제의 말이기에, 그 마음을 알기에 온달은 미소만 지었다. 권력을 얻은 뒤 사람은 개처럼 타락하기 십상이지만 온달은 달라지지 않았다. 그의 품성이 좋아서가 아니었다. 온달에게는 그다음 목표, 신라에게로의 복수가 있었다.

때가 무르익었다고 판단한 온달이 제가회의를 소집하였다. 그는 새로이 대막리지를 선임하자고 주장하였다. 다른 막리지들이 순순히 동의하였다. 그런데 제가회의에서 추대한 신임 대막리지는 온달의 사돈 고탄이었다. 온달의 세력이 너무 커진 탓이었다. 강이식과 을지문덕 등 청년 장군들은 죄다 전쟁영웅 온달 편이었다. 다른 막리지들은 온달의 독주를 견제하고 싶어 했다.

외부의 적보다 내부의 적이 물리치기 더 어렵다더니, 속수무책으로 당하고서 온달은 적의 동지는 적이나 다름없음을 실감하였다. 제가회의 결정을 전해들은 고탄의 딸은 시아버지 온달 앞에서 고개를 들지 못하였다. 평강은 나이어린 며느리의 마음을 달래주었다.

"그 일은 네 잘못이 아니니 너무 우려하지 말거라."

평원왕의 무릎에서 평강은 오랫동안 보아왔다. 혈육의 정마저 끊는 것이 권력, 상대방보다 기어이 우위에 서겠다는 권력욕이었다. 평강이 온달에게 말하였다.

"남부가 강해질수록 다른 부들의 견제를 받을 겁니다. 사돈을 회유하여 남부와 서부의 제휴가 강해지면 동부, 북부, 중부의 결속력 또한 끈끈해질 겁니다."

"그럼, 어찌해야 하오?"

"동부, 북부, 중부도 따로따로인 듯 다함께 품어야 진정 하나일 겁니다."

어느덧 온달의 식읍이 구천 호에 이르렀다. 온달은 그 식읍에서 나오는 곡물을 차근차근 군량미로 쌓아두었다. 군량미가 높이 쌓여갈수록 온달은 복수심이 높아져갔다. 어머니의 눈, 선친의 머리, 부모의 피로 물든 땅을 떠올리며 온달은 피의 복수를 다짐했다. 그 반역자를 찾아낼 것이었다. 반드시 그 량주홍이라는 배신자를 찾아 복수할 것이다. 만일 그자가 죽었다면 그 아들에게 온달 자신과 똑같은 고통을 평생 느끼게 해줄 것이었다.

평강은 고구려를 위해서 온달은 그의 복수를 위하여 제도를 개혁하려 하였다. 온달은 평민들에게 벼슬자리로 나아갈 등용문을 더 만들어주었다. 온달의 힘이 무예를 숭상하는 고구려인의 기질에서 비롯됐다면 평강의 힘은 백성들의 사랑에서 나왔다.

여러 해 동안 겨울이 평년보다 길어 농사가 잘 안 돼 굶주리는 백성들이 속출하였다. 그들은 진대법으로 국가에서 빌린 곡식으로 연명해야 했다. 이 기회를 틈타 북부 막리지 을산가는 가난한 백성들의 논밭을 거저 얻다시피 하였다. 우연히 을산가의 작태를 우마리에게서 듣고 평강이 직접 을산가를 찾아갔다.

"국상 을파소께선 진대법으로 백성들을 살렸는데 그 후예인 막리지께서 그 법으로 백성들을 못살게 하시다니요. 조상님들 얼굴 뵈옵기에 부끄러운 일이 아니겠습니까."

을산가가 최근 흉년 동안 늘린 논밭을 백성들에게 되돌려주었다. 백성들의 칭송이 하늘을 찌를 듯하자 을산가가 평강을 찾아갔다. 평강을 칭송하기 위해서가 아니었다.

"부마도위께선 외적을 무찌르고 다녔는데 그 아드님은 나라 안에 적을 만들고 다니니 어찌하면 좋겠습니까. 공주님 얼굴 뵙는 게 참으로 민망하옵니다."

을산가는 온권후의 소행을 들먹이며 그의 어머니 평강을 힐난했다. 사실이었다. 평강은 외동아들 온권후의 되바라진 행실에 골치를 썩였다.

어느 날 마차를 타고 가던 온권후가 평원왕이 하사한 구슬을 저잣거리에 떨어뜨렸다. 백성들이 굴러다니는 구슬을 먼저 주워가지려 혈안이 된 모습을 보고 온권후는 박장대소했다. 몇몇 백성들은 구슬을 되돌려주었지만.

그 뒤 온권후는 종종 구슬을 일부러 길에다 뿌려 가난한 백성들을 희롱했다. 그 부모가 온달과 평강이 아니었다면 온권후는 진즉에 사단이 났을 거였다. 온달이 어릴 적 비렁뱅이였던 데다 평강이 기회가 될 때마다 가난한 백성들을 구휼하고 다녔기 때문에 세인들은 눈살을 찌푸렸지만 온권후의 소행을 별일 아닌 듯 그냥 넘어가주었다.

평원왕의 지나친 총애에 온권후는 궁궐 안에서도 안하무인이었다. 곧잘 법도를 어겼고 왕실의 서열을 무시하였다. 집안에서도 그는 툭하면 아랫사람들에게 매질을 가했다. 하지만 아랫사람들은 평강에게 온권후의 행태를 고자질하지 않았다. 얼토당토않은 이유로 온권후가 그들에게 발길질을 해도 참았다. 덩치는 커도 아직은 소년이고 어쨌든 그는 서민들이 지지하는 온달과 평강의 아들이었다.

587년, 수문제가 양나라 군주에게 장안성에 입조하라 명했다. 수나라를 상국으로 받들던 양나라 군주는 이를 거부하고 강남의 진나라에게 구원을 청하였다. 수문제는 진나라의 구원병을 격파하고 양나라를 멸하였다. 589년 수문제가 진나라를 멸망시켜 무려 삼백 년 만에 중원을 하나로 통합하였다.

수문제는 동서로 분열된 돌궐을 이간질하여 분쟁을 조장하였다. 돌궐이 국력이 약해지자 수나라에 대적할 나라는 고구려밖에 남지 않았다. 590년 수문제가 평원왕에게 복속을 요구하는 국서를 보냈다.

"고구려왕은 요하가 장강보다 넓다고 생각하는가? 고구려가 진나라보다 인구가 많은 줄 아느냐?"

수문제의 협박에 강이식을 비롯한 서토안정론 자들은 평원왕에게 수나라와 한판 붙자고 청하였다. 하지만 일찍이 주나라를 선제공격할 만큼 과감했던 평원왕도 세월을 거스르지 못하였다. 일주갑을 바라보는 나이인데다 병이 들어 기력이 쇠하였다. 병치레가 잦아진 평원왕은 이제 손자 온권후의 재롱이 유일한 낙이었다.

병문안을 자주 다녀온 까닭에 온달은 평원왕이 올해를 넘기지 못하리라 직감하였다. 태자 고대원을 찾아가 오랫동안 간직하고 있던 속내를 터놓았다.

"남한강 유역의 땅을 신라가 군현으로 삼았으나, 그 백성들은 고구려를 완전히 잊진 않았습니다. 바라옵건대 단 한 번만 병사를 내주신다면 반드시 우리 땅을 도로 찾아오겠나이다. 단 한 번의 출정이면 족하옵니다."

온달은 한겨울에 기습공격을 감행할 생각이었다. 그동안 그가 비축해둔 군량미를 써서. 태자가 온달에게 물었다.

"우리가 남쪽에서 전쟁을 벌이면 수나라가 움직이지 않겠는가?"

"아뢰옵기 황공하오나, 고구려가 국상을 당한 터라 저들이 명분 없이 군사를 일으키진 못할 것이옵나이다."

평원왕이 곧 운명해 고구려가 국상을 당할 거라는 얘기였다. 온달의 심정은 헤아렸어도 태자는 썩 내켜하진 않았다. 태자에게 온달이 말하였다.

"수나라가 사천만 인구를 자랑하오나 겁낼 게 못 되옵니다. 우리 육백만 고구려인 하나하나는 저들 열을 감당할 수 있으니 우리의 힘은 저들 못지않습니다. 만약에 대비하여 돌궐과의 동맹을 한 번 더 다져놓으면 되지 않겠사옵니까."

수나라와의 전쟁을 언제까지나 피할 순 없을 것이었다. 본격적인 대결에 앞서 남쪽을 안정시켜둘 필요는 있었다. 한강 물줄기를 이용하지 못하게 해두면 신라는 소백산맥 안에 갇히는 셈이었다. 태자가 온달을 쳐다보았다. 지난 십수 년 동안 온달이 그토록 소망한 일이었다. 그 애타는 세월에 온달의 머리도 희끗희끗해졌다. 마침내 태자가 고개를 끄덕이었다. 태자를 바라보고 있던 온달이 가까스로 입을 열었다.

"성은에 감사드리옵니다."

태자 앞에서 온달이 하늘을 우러러 맹세하였다.

"소백산맥 북쪽을 되찾지 못하면 돌아오지 않겠사옵니다."

그 땅은 가문의 영지였고 아버지와 조상들의 무덤이 있었다. 온달은 그 인생과 맞바꿔서라도 낭비성과 을아단성을 되찾고 싶어 하였다.

태자의 승낙이 떨어지자마자 온달은 비밀리에 남쪽으로 군량미를 옮기기 시작하였다. 흉년에 대비하는 거라며 분산해서 소량씩 운반했다. 군사들도 소규모로 나눈 뒤 짐꾼으로 위장해 이동시켰다. 고구려사람들 대다수가 온달의 이번 군사행동을 전혀 눈치 채지 못했다. 심지어 온달은 강이식과 을지문덕에게도 이번 작전을 감쪽같이 숨겼다. 이 전쟁은 복수전이었고 그 복수는 온달 개인의 것이었다. 강이식과 을지문덕은 수나라만을 신경 쓰는 편이 온달에게 여러모로 속편했다.

온달이 의형제들을 불러 모아 낭비성 공략계획을 털어놓자 제일먼저 우마리가 찬동했다.

"승산이 훨씬 더 많다."

홍이와 두치가 우마리를 쳐다보았다.

"왜?"

"장사치의 감이랄까, 본능적인 느낌으로."

우마리는 기습공격이 맞아떨어질 것이라 전망했다. 전쟁이 속전속결이 될 거라 예상하고 식량을 사들이지 않았다. 한 차례 큰 실패를 경험한 뒤로 우마리는 항상 위험을 고려하고 최악에 대비했다. 곡식을 하나의 창고에 보관하지 않았고 가축을 한 군데 목장에서 키우지 않았다. 홍수를 만날지, 가축이 얼어 죽는 추위가 닥칠지는 인간이 모르는 일이었다.

*

590년 대초원에서 칼바람이 불어올 무렵 평원왕이 운명하였다. 태자는 즉시 수나라와 돌궐, 백제와 신라에 사자를 보내 평원왕의 부고를 알렸다. 평강이 평원왕의 죽음을 애도하는 동안 온달은 말을 몰아 남쪽으로 내달렸다.

온달은 현지에 내려와 있던 홍이와 두치를 만나자마자 곧바로 군사작전을 개시하였다. 온달이 중군을 이끌었고 홍이가 좌군, 두치가 우군을 맡았다. 온달은 역류하는 바닷물처럼 한강을 거슬러 올라갔다. 지난날 아버지의 무덤을 찾아 아단성으로 향할 때 지나갔던 바로 그 길이었다.

겨울은 어지간해서는 전쟁을 하지 않는 평화의 계절이었다. 더구나 평원왕의 상중이었다. 방심하고 있던 신라군은 크게 당황하였다. 고구려군은 삼면에서 낭비성을 포위 공격하여 단숨에 함락시켰다. 아직 고구려를 잊지 않았다는 온달의 말마따나, 낭비성 백성들이 고구려군에 적극 대항하지 않은 게 대세에 큰 영향을 끼쳤다.

고구려대왕의 데릴사위가 되어 코흘리개 때 평양성으로 떠나간 온달의 귀환에 낭비성 백성들 사이에서 온달 열풍이 불었다. 낭비성 수복은 국가 차원에서도 경사였고 홍이와 두치도 한없이 기뻐했지만, 온달은 백성들의 환호를 부담스러워했다. 이미 전쟁영웅인 그는 더 이상의 명예는 필요치 않았다. 아버지의 원수를 갚고 자신의 영지를 되찾으려 했을 따름이었다.

온달이 평양성에 전령을 보냈다. 고구려의 새 임금으로 즉위한 영양왕嬰陽王이 주먹을 불끈 쥐었다. 승전보는 평강과 온달모에게도 전해졌다. 멀어버린 온달모의 눈에서 눈물이 오래 흘렀다. 평강은 기쁨보다 안도하였다. 전쟁을 하는 줄도 몰랐던 백성들이 저잣거리에서 어깨를 덩실거렸다. 새로운 왕과 더불어 새 시대가 왔음을 알리는 상서로운 서막 같았다.

낭비성이 고구려의 손아귀에 떨어지자 그 일대의 몇몇 자그마한 성들이 항복을 알려왔다. 온달은 멈추지 않았다. 상류로 진격하며 항복을 받고 항복을 거부하는 성은 집중 공략해 함락시켰다. 그 함락된 성 가운데 을아단성이 있었다.

을아단성을 함락시키자마자 온달은 아버지의 원수 량주홍의 행방을 수소문했다. 량주홍과 그 식솔과 친척은 깊은 산속에 숨었는지 보이지 않았다. 홍이, 두치와 함께 을아단성에 입성한 온달은 감개무량하였다. 세 사람은 그 옛날 온달송溫達松 곁에서 감회를 나누고 온지추의 묘를 찾아가 제를 올렸다.

막리지들은 제가회의를 거치지 않은 온달의 독자적인 군사행동을 떨떠

름해했다. 온달이 승리를 거두는 탓에 영양왕에게 불평하지 않았을 뿐이었다. 이제 그들이 더 신경 쓰는 것은 온달의 승리보다 곡물 값이었다. 갑작스런 전쟁 소식에 곡물 값이 올라있었다. 가격이 더 오를 거라 생각한 몇몇 귀족은 식량을 사들였고 너무 올랐다고 판단한 우마리는 그가 보유하고 있던 물량을 모조리 처분하였다.

낭비성을 이틀 만에 함락시킨 뒤 진정된 곡물 값은 거듭되는 온달의 승전보에 폭락하였다. 우마리는 비싸게 팔아치웠던 곡물을 헐값에 서서히 사들였다. 이 거래로 우마리가 고구려에서 제일가는 부자가 되었다.

승세를 탄 고구려군의 기세는 신라에게는 한겨울의 한파보다 매서웠다. 승리를 거둘 때마다 온달은 즉시 영양왕에게 전령을 보내었다. 기쁜 소식을 어머니에게 하루빨리 전하고 싶어서였다. 또한 출정을 허락해준 처남 영양왕이 고마워서였다. 온달이 보낸 전령은 장안성에 들어서기 전부터 떠들어댔다.

"또 이겼다!"

연이은 온달의 승전보에 영양왕이 친히 구제궁과 동신성모지당에 나아가 제를 올렸다. 온달모와 평강 모자를 궁으로 불러 기쁨을 함께하였다. 온달의 활약은 지난날 고구려의 치욕과 온달모의 아픔을 씻어주기에 충분했다.

온달이 한강 유역의 태반을 차지하자, 백제 위덕왕이 영양왕에게 사신을 보냈다. 먼저 고구려의 승전을 경하한 다음 백제 사신은 뜻밖에도 평강공주를 만나기를 청하였다. 영양왕이 말했다.

"어인 일로 백제 사신인 그대가 평강공주를 만나겠다는 것인가?"

"저희 왕비께서 공주님 부부의 사연을 듣고 감격하셨답니다. 해서 공주님께 드릴 선물을 좀 가져왔습니다."

"우리 평강공주가 백제에까지 소문이 났더냐?"

"왕비님뿐만이 아니라 백성들도 다 알고 있사옵니다. 비천한 신분에서 일약 고구려의 대장군이 된 온달을 저희 백성들도 동경하옵니다. 홀로 수십만 대군 속으로 달려가 주무제를 무찌른 일은 저희 부여의 자랑거리 아니겠사옵니까."

아쉬울 때만 부여의 한겨레로 고구려와 뿌리가 같다는 백제가 얄미웠어도 영양왕은 호탕하게 웃어주었다. 백제 사신이 말했다.

"대왕, 이참에 저희 백제도 신라를 공격해 지난날 빼앗긴 땅을 수복하고자 합니다."

"온지추의 죽음과 백제는 무관하지 않은가? 이 전쟁엔 개입하지 말기 바란다."

"잃어버린 옛 땅을 조금이나마 회복하겠다는 것이옵니다. 이 기회를 포기하라 하시면 저희가 다시 신라와 동맹을 맺을 수도 있사옵니다."

"너희 백제가 신라에게 또 배신을 당하고 싶은 것이더냐?"

"실언을 했사옵니다. 살펴주시옵소서."

백제사신이 넙죽 엎드리자 영양왕은 백제가 소백산맥 너머 신라의 성을 차지하는 데에 동의해줬다. 어차피 그곳은 고구려가 연고를 주장하기 힘든 땅이었다.

백제 사신에게서 뜻밖의 선물을 받고 평강은 내심 불안했다. 사태가 점점 커지고 있었다. 전쟁은 왕들이 두는 바둑 한 판, 어린애들이 하는 땅따먹기 놀이가 아니었다. 숱한 백성들의 희생, 평생 불구로 살아가야 할 깊은 상처, 가족과의 생이별이었다.

평강이 오라버니 영양왕을 찾아가 온달에게 회군을 명해달라고 부탁했다. 영양왕은 잠시만 기다리면 될 것이라 평강을 달래고 온달을 호위할 병사를 더 보내겠다고 약속하였다.

집으로 돌아오는 내내 평강은 고민을 하였다. 평강은 온달이 연이은 승리에 도취될까 우려했다. 만족하면 탈이 없다는 옛말은 빈말이 아닐 것이었다. 더구나 온달은 지금 복수를 하는 중이었다. 조심한다고 해도 전쟁은 위태로운 순간이 있기 마련이니 어떻게든 보복을 하고야 말겠다는 욕망을 제어해야 마땅했다. 적의 심정을 이해하는 걸 넘어 그와 공감까지 가능해야 비로소 온달이 진정한 승자로 우뚝 설 터였다. 조바심이 난 평강은 집에서 발을 뻗고 있을 수 없었다.

오래지않아 평강을 태운 수레가 낭비성을 향하였다. 곡식을 가득 실은 수백여 대의 달구지가 평강을 뒤따랐다.

온달은 신라 진평왕에게 사신을 보내 아버지의 수급을 돌려달라고 요구하고 있었다. 진평왕은 온달이 점령한 땅을 되돌려주면 온지추의 유골을 반환하겠다고 하였다. 이것은 거절이었다. 온지추의 수급, 이 패는 훗날 더 긴요한 데 쓰도록 아껴둬야 했다. 수나라 때문에 고구려는 신라와 전면전을 벌이진 못할 것이었다. 온달은 진평왕에게 다시 사신을 보내 봄이 되면 서라벌까지 쳐들어가겠다며 으름장을 놓았다.

진평왕은 백제와의 동맹을 재추진하며 온달에게의 대대적인 반격을 준비했다. 동맹은커녕 백제가 오히려 신라를 공격하자 진평왕은 고민에 고민을 거듭하였다. 서라벌의 방위를 위해 일단 명활성과 서형산성을 보강하고 남산성을 쌓기 시작하였다. 진평왕은 온지추의 유골과 신라군 포로를 교환하고, 계립현과 죽령 너머는 넘보지 않겠다는 서약을 온달에게 요구했다. 온달은 진평왕의 제안을 기꺼이 받아들였다.

*

공주 평강과 거지 온달의 사랑얘기는 신라와 백제에도 소문이 나 있었다. 평강이 낭비성에 당도하자 할머니의 옛날얘기 같은 이야기의 주인공이 왔다며 백성들이 그녀를 보려고 몰려들었다. 동화속 주인공과 실제 마주한 백성들은 신기한 듯 평강을 오래도록 쳐다보았다. 그 가운데는 눈물을 글썽이는 여인들이 많았다. 평강은 손을 내밀어 백성들의 손을 일일이 잡아주었다. 땅을 차지하는 것은 군사들이었지만 그 땅을 지키는 것은 애민이라 평강은 생각했다.

낭비성에 여장을 푼 다음날부터 평강은 고구려군이 점령한 마을을 돌아다니며 백성들을 만났다. 평강이 말했다.

"네 이름이 무엇이더냐?"

"저는, 소인은, 저는……"
"편하게 말하거라."
"제 이름은 사사마沙斯麻이옵니다."
"사사마, 내 이름이 무엇인지 아느냐?"
"공주님 아니시옵니까?"
"내 이름은 공주가 아니다. 나는 평강이다. 내 이름을 기억하거라. 나도 네 이름 사사마와 너의 얼굴을 기억하겠다."
"알겠습니다요."
평강은 일일이 백성들의 이름을 물어보며 그들의 손을 따뜻하게 잡아 주었다. 이 별난 고구려의 공주를 맞이한 무지렁이 백성들은 어안이 벙벙했고 감개무량해했다. 평강의 행보는 백성들과 인사를 나누는 것으로 그치지 않았다.
겨울은 백성들이 곧잘 배를 곯게 했고 전쟁은 백성들을 더 굶주리게 만들었다. 전쟁에 흉년이 겹쳐 592년 설날 무렵부터 식량이 바닥나기 시작한 백성들이 적지 않았다. 어느 날 낭비성 안에 마련된 평강의 사저에서 잡일을 하던 웬 사내가 정신을 잃고 쓰러졌다. 사내가 깨어나자 평강이 그에게 물었다.
"무슨 사연이 있는 게냐?"
"소인의 아내가 지난달에 아기를 낳았습니다. 그런데 먹는 게 시원찮아서 젖이 잘 나오지 않았습니다. 그러다보니 저는 밤낮을 가리지 않고 일하면서도 끼니를 자주 거르게 되었사옵니다."
사내의 이야기를 들은 평강은 조치를 취하였다. 가난한 백성들을 모두

조사하라 하고 그들이 굶주리지 않도록 즉시 진대법을 시행하라고 명하였다. 아니었다. 그리하면 너무 늦을 것이었다. 평강은 먼저 그녀가 수레에 싣고 온 식량을 나눠주었다.

신라의 영토였던 낭비성을 이제 막 고구려가 점령했을 때였다. 백성들은 고구려군을 적대시하진 않았지만 그들의 약탈 또한 내심 두려워하고 있었다. 그런데 약탈은커녕 고구려군 대장의 아내가 굶주리는 백성들에게 곡식을 나눠주는 것이었다. 저 멀리 북쪽에서 공주가 아닌 선녀가 왔다며 백성들이 만세를 외쳤다.

일단 백성들의 굶주림을 없앤 다음 평강은 마을에 있는 경당을 새로이 단장했다. 다른 경당처럼 활쏘기도 가르쳤지만 평강은 활쏘기 외에도 백성들이 배우고 싶어 하는 다양한 과목을 배우도록 하였다. 그림을 그리고픈 사람은 그림을, 글을 배우고 싶은 사람을 글을, 악기를 연주하고 싶어 하는 이들에게는 음악을 경당에서 가르쳤다. 백성들이 배불리 먹고 마시고, 즐겁게 노래하고 흥겹게 춤을 추고, 백성들이 행복하게 살도록 하는 게 공주로서의 보람임을 평강은 믿었다.

평강은 매 끼니 때마다 밥을 넉넉히 지으라고 했다. 굶주리는 어린애들은 언제든 와서 밥을 먹게 하였다. 오래지않아 평강의 집은 놀이터인 듯 어린아이들로 넘쳐났다. 평강은 시녀들 가운데 몇몇은 아이들을 돌보게 하였다. 이 아이들에게 평강은 배움의 기회도 주었다. 아이들은 평강의 집에서 무예와 글뿐만 아니라 기술과 음악도 배웠다. 이 아이들이 자라나면 늠름한 고구려인이 될 것이었다.

어느 날 애들 보모노릇을 하는 시녀가 낮잠을 자는 아이들을 깨웠다. 그녀는 대뜸 일어나서 눈을 비비는 아이들의 멱살을 잡고 흔들었다. 아이들이 멍한 얼굴로 서로를 바라보았다. 시녀가 말했다.

"어디 숨겼어? 내 금가락지 어딨어?"

"금가락지요? 저흰 모르는 일이에요."

"저희가 금가락지를 훔쳤으면 벌써 토꼈죠. 여기서 자고 있겠어요? 저희가 금가락지를 훔쳤단 증거가 어딨어요?"

"오라, 말대답을 하는 걸 보니 네 놈 짓이구나. 제 발이 저린 게지."

시녀가 아이의 머리를 한 대 쥐어박았다.

"금가락지 내놔!"

울음을 터뜨리며 집으로 가겠다고 하자 시녀가 아이의 뺨을 때렸다. 아이들이 시녀에게 우르르 달려들어 시녀와 아이들 사이에 실랑이가 벌어졌다. 옥신각신하는 그들을 향해 다른 시녀가 부리나케 달려왔다. 평강공주가 납신다고 하자 시녀가 슬며시 아이의 멱살을 놓았다. 뺨을 맞은 아이를 에워싸고 아이들이 훌쩍거렸다.

평강이 나타나자 어린아이들이 그녀의 치맛자락을 붙잡고 매달렸다. 이유가 어찌 됐든 평강은 다른 사람들이 우는 모습을 지나치지 못했다. 그녀가 어렸을 때 그 누구보다 많이 울었기 때문이었다. 시녀들한테 부침개와 삶은 돼지고기와 다과상을 내오라고 한 뒤 평강이 아이들을 그녀의 방으로 데려갔다. 평강은 아이들에게 그 이름이 무엇인지, 어디에 사는지, 무엇을 좋아하는지, 어른이 돼서 어떤 일을 하고 싶은지 물어보았다. 아이들이 그들의 현재와 미래를 이야기하는 동안 부엌에서 참기름 냄새가

풍겨왔다. 평강 앞에서 실컷 떠들던 아이들이 침을 삼키며 다과상이 나오길 기다렸다.

시녀들이 유밀과를 비롯한 음식을 한 상 내오자 아이들의 눈이 휘둥그레졌다. 평강이 먹어보라는 말을 마치기가 무섭게 아이들은 처음 본 유밀과를 먹어댔다. 아이들한테 평강이 천천히 먹으라 하였다. 문득 한 아이가 평강에게 물었다.

"공주님은 왜 안 드세요?"

"나는 배가 부르단다. 너희들이 먹는 모습만 봐도."

"어, 우리 엄마도 공주님이랑 똑같은 말을 했어요."

"그러하더냐?"

웬 아이가 돼지고기 한 점을 집어 평강 앞에 내밀었다. 시녀가 아이를 말리려 했으나 평강은 아이가 준 고기를 받아먹었다.

"네 이름이 일현馹玄, 우리 일현이가 먹여주니 더 맛나구나."

"제가 내일도 모레도, 그 다음날도 먹여드릴게요."

"고맙구나."

상에 있는 음식들이 줄어갔는데 어느 순간부터 더 이상 먹지 않는 한 아이가 있었다. 평강이 그 아이에게 물었다.

"아까 네 이름이 도이기都伊棋라 하였더냐?"

"그러하옵니다."

"너는 왜 그리 조금 먹는 것이냐? 맛이 없느냐? 아님, 어디 아픈 게냐?"

도이기의 옆에 있던 아이가 말했다.

"손을 쓸 수가 없어서 그런답니다."

"손을 쓸 수 없다니, 그게 무슨 말이야?"

"저, 이름이 뭐더라, 저 유밀과를 양손에 다 쥐고 있어서 그렇습니다."

평강이 도이기에게 말하였다.

"손바닥을 내밀어봐라."

유밀과를 한 움큼 쥐고 있던 도이기의 손바닥이 펼쳐졌다. 평강이 말했다.

"왜 먹지 않고 손에 쥐고 있느냐?"

"어머니께 가져다 드리려고 그랬습니다요."

평강이 도이기에게 말했다.

"네 효심이 나보다 낫구나."

평강이 시녀에게 아들 온권후를 데려오라 하고, 또 도이기가 집으로 돌아갈 때 유밀과 보따리를 챙겨주라 하였다.

평강이 도이기를 가리키며 온권후에게 말하였다.

"오늘부터 이 아이랑 벗처럼 지내도록 하여라."

도이기가 말했다.

"제가 어찌 감히 공자님의 벗이 되겠습니까요."

"왜 그리 생각하느냐? 나는 백성들의 신분을 따지지 않는다. 공주인 내가 신분을 따지면 나는 그 누구와 벗이 된단 말이냐. 나는 도이기 네 마음을 봤을 뿐이다. 내 말뜻을 알겠느냐?"

"알겠사옵니다."

평강이 온권후에게 말했다.

"저 아이랑 벗처럼 지내겠느냐?"

"그리하겠사옵니다."

도이기는 형제자매가 없는 온권후의 말동무가 되었다. 평강은 도이기가 훗날 온권후의 명운을 바꿀 거라 상상도 못했다.

*

한밤중이었다. 전령이 온달을 깨웠다. 량주홍의 행방을 알아냈다는 소식이었다. 온달은 량주홍과 그 식솔들을 체포해오라는 엄명을 내렸다. 횃불을 켜둔 채 온달은 밤새 한잠도 이루지 못했다. 평강도 뜬눈으로 밤을 지새웠다.

동이 틀 무렵 량주홍을 포박해 끌고 오고 있다는 소식이 왔다. 량주홍을 붙잡았다는 보고에도 온달은 웃음을 보이지 않았다. 온달의 눈에 감도는 형형한 빛을 평강은 보았다.

점심 무렵 군사들이 량주홍과 그의 식솔들을 끌고 와 온달 앞에 대령했다. 온달이 량주홍에게 말했다.

"변명을 할 테면 해봐라!"

량주홍은 말이 없었다. 온달이 말했다.

"할 말이 없을 것이다. 너는 내 선친의 믿음을 저버렸다. 또한 친구의 아내인 내 모친을 탐하였다. 너의 탐욕으로 내 모친은 바늘로 스스로 눈을 찔러야만 했다. 그것만이 아니다. 네 탐욕으로 수많은 고구려군과 백성들이 죽었다. 너는 내 부모에게만 죄를 지은 게 아니라 수많은 사람들에게 씻을 수 없는 죄를 지었다. 너의 죄를 받아들이겠느냐?"

말없이 량주홍이 고개를 두어 차례 끄덕였다.

"너를 벌하는 것은 나의 원한만이 아니다. 죄를 지은 사람이 벌을 받지 않으면 너 같은 사람이 또 나올 것이다. 너에게 벌을 내리겠다. 먼저 너의 배신으로 죽어간 이들의 가족 모두가 네게 돌팔매질을 하도록 하겠다. 그 사람들 중에는 네 친척도 있다고 들었다. 돌파매질이 끝난 뒤 네가 살아 있든 말든 칼로 네 사지를 자르겠다. 그다음 네 시체를 불태울 것이다. 그다음 너의 뼈를 갈아 저 한강에다 뿌리겠다. 너는 땅속에서조차 편히 쉬지 못할 것이다."

량주홍이 고개를 들어 온달을 쳐다보았다. 온달이 말했다.

"억울하느냐? 네 친구이자 내 선친의 머리 또한 몸과 떨어져 아직도 고향땅에서 잠들지 못하고 있음을 잊지 말아라. 이 땅에 다시는 너 같은 배신자가 나타나지 않도록 후세에 경고하는 것이다."

량주홍이 말하였다.

"죄는 달게 받을 테니 제 식솔들은 살려주십시오."

"안 된다. 네 식솔들은 너를, 남편인 너를, 아비인 너를 돌팔매질로 죽였다는 죄책감에 평생 시달리게 할 것이다."

량주홍이 눈물을 흘렸다. 온달이 말했다.

"이래도 네 식솔들을 살려달라고 할 테냐? 어찌하겠느냐?"

한동안 말이 없던 량주홍의 입에서 피가 흘러나왔다. 몸을 가누지 못하고 쓰러지는 량주홍을 향해 온달이 달려갔다.

"안 돼! 안 된다. 이놈! 량주홍, 이놈. 넌 이리 쉽게 죽어선 안 된다."

원수가 스스로 죽자 온달은 땅을 치고 통곡했다. 량주홍이 자진하자 온달은 분을 삭이지 못하고 칼을 뽑았다. 그의 식솔들을 모두 베겠다는 듯 그들 앞으로 걸어갔다. 평강이 온달을 가로막았다.

"저들을 살려주십시오."

"아니 되오. 다른 일이라면 공주의 말을 따르겠지만 이 일만은 내가 마음대로 하게 내버려두시오."

평강은 물러서지 않았다.

"저들에게는 죄가 없습니다."

"왜 죄가 없다는 게요? 신라왕한테 벼슬까지 받은 량주홍 덕에 지금까지 호의호식하며 떵떵거리며 살지 않았소? 이 땅의 임자인 나는 하루아침에 거지가 되어 땔감을 마련하느라 하루에도 서너 번씩 산을 오르락내리락했소. 궐에서 쫓겨나는 바람에 그대와 혼인도 하지 못할 뻔했소. 이것만으로도 저들은 노비가 되거나 죽어 마땅하오."

"맞는 말씀이나 저들은 당사자가 아니니 개과천선할 기회를 한 번만 주십시오."

온달이 고개를 저었다. 온달이 도무지 그 뜻을 굽힐 기미가 보이지 않자 그를 가로막고 서 있던 평강이 무릎을 꿇었다. 백성들은 물론 고구려 공주로서의 평강의 자부심과 자존심을 알고 있는 온달도 깜짝 놀랐다. 제아무리 온달이 대장군이어도 평강은 하늘같은 고구려 태왕의 딸이었다. 백성들이 어쩔 줄 몰라 하는 사이 온달이 평강에게 다가가 손을 잡아 일으켜주었다. 온달이 백성들과 군사들에게 선언했다.

"량주홍의 가족들은 우리 대 고구려의 공주님께서 용서하셨다."

안도의 한숨을 내쉰 뒤 사람들이 만세를 불렀다.

"평강공주 만세."

"온달장군 만세."

방 안으로 들어가자마자 온달이 평강에게 말했다.

"저들을 살려줬으니 아버님께서 슬퍼하실 것이오."

"저는 아버님께서 기뻐하실 거라 믿습니다."

온달이 평강을 쳐다보았다.

"아단성에 가봐야겠소."

"가더라도 잠시 눈을 붙이고 가세요. 한숨도 못 주무셨잖습니까."

오랜만에 평강과 온달이 한 침대에 누웠다. 피곤이 누적된 탓에 온달은 곧 깊은 잠속으로 빠져들었다. 새벽녘에 잠에서 깬 평강은 온달을 보고 깜짝 놀랐다. 온달의 머리가 하얗게 새어있었다. 평강은 미안했다. 말로는 복수를 알았지만 마음으론 온달의 마음을, 그 복수심을 몰랐다. 새하얀 온달의 머리카락을 어루만지는 평강의 눈에서 오랫동안 보이지 않던 눈물이 보였다.

평강이 베푸는 선심과는 무관한 듯싶은 온달에게도 백성들은 감읍하였다. 고구려의 대장군 온달이 한때 구걸을 하러 다녔으니 그는 굶주리는 인간의 심정을 잘 알고 있을 것이었다. 사실이었다. 지난날 거지였던 온달은 말단 병사들과도 잘 어울리는 마음씨 좋은 장군이었다. 그가 전장에서 전공을 세운 부하 병사들의 노고를 모른 체하는 경우는 없었다. 밥을 적게 지어 대장군인 그가 제때 배식을 못 받는 경우가 간혹 생겨도, 온달은 군사들 모두가 밥을 다 먹은 후라야 숟가락을 들었다.

온달의 승리에 도취된 고구려는 평원왕의 죽음을 까맣게 잊었다. 온 나라가 축제분위기에 빠진 가운데 영양왕은 논공행상을 서둘렀다. 영양왕은 두치를 소형 홍이를 대형으로 삼았다. 고구려 역사상 처음으로 평민 출신인 홍이가 대형 벼슬에 올랐다. 평민들은 온달의 승리 못지않게 홍이의 승진 소식을 기뻐하였다. 올해에 불어오는 봄바람은 예년보다 더 따뜻한 듯싶었다. 천 년을 바라보는 역사의 고구려는 분명 새 시대가 열리고 있었다.

영양왕은 차기 대막리지는 온달로 기정사실화 해버렸다. 막리지들은 대막리지는 제가회의가 결정하는 거라며 대왕께서 간섭하지 마시라고 크게 반발하였다. 반발은 하였지만 막리지들은 영양왕에게 대항할 힘이 없었다. 을두노가 죽은 뒤 고구려의 권력은 더 이상 제가회의에서 나오지 않았다. 나이든 막리지들이 약속이나 한 듯 거의 동시에 죽는 바람에, 젊은 막리지들이 등장한 것도 제가회의의 권위를 떨어뜨렸다.

온달을 비롯해 강이식, 을지문덕 등 새로운 세대가 실권을 쥐었다. 백성들도 온달 편이었다. 온달이 대막리지가 되겠다고 하면 백성들의 성화 때문에라도 자리를 내줘야할 분위기였다. 고심 끝에 제가회의는 온달에게 대막리지 권한을 부여하기에 이르렀다. 이제 평양성으로 귀환하기만 하면 온달은 고구려의 대막리지였다.

이 소식을 전해들은 평강은 왠지 불길한 예감이 들었다. 온달은 이제는 더 이상 오를 곳이 없었다. 오를 곳이 없으면 멈추거나 내려갈 수밖에 없는 것이 섭리였다. 평강은 저녁하늘에 떠오른 은하수를 바라보았다. 불현듯 그녀를 스치는 생각이 있었다. 그날 밤 평강은 온달을 찾아가 오랜만에 밤새도록 사랑을 나누었다.

두 달이 채 지나지 않아 그녀는 둘째아이를 임신했다는 것을 알았다. 두근거리는 심장을 달래며 평강이 온달의 방을 찾아갔다. 잠시 그녀가 머뭇거리는 동안 회남자를 읽고 있던 온달이 평강에게 말했다.

"난 이 구절이 제일 맘에 드오. 대장부는 쓸데없는 생각을 지우고 담대한 자세로 괜한 걱정을 하지 않는다. 하늘을 수레 덮개로 삼으면 덮지 못하는 것이 없고, 땅을 수레로 삼으면 싣지 못하는 것이 없다. 사계절을 말로 삼으면 부리지 못할 것이 없고, 빠르게 달려도 수레는 요동치지 않고 멀리 가도 지치는 법이 없다. 어떻소? 평강, 이것이 바로 지금의 내 심정 아니겠소?"

말을 하면서도 서책에서 시선을 떼지 않는 온달을 평강이 물끄러미 바라보았다. 평강은 온달에게 임신했다는 말을 꺼내지 못하였다.

8. 더는 울지 않았다

593년 초가을, 신라가 차일피일 반환을 미루던 온지추의 수급이 당도하는 날이었다. 온달은 아단성 근처에 있는 온지추의 무덤을 찾아갔다. 아버지의 몸만 안치된 묘에 머리를 합장할 참이었다. 온지추의 수급을 가지고 신라 사신단이 도착하였다. 온달이 앞으로 나아가 엎드려 온지추의 수급을 받아 모시었다.

뒤돌아선 온달을 향해 신라 사신들이 단검을 꺼내 달려들었다. 그들은 사신으로 가장한 자객이었다. 온달 옆에 있던 두치가 몸을 날려 단검을 몸으로 막았다. 단검은 두치의 옆구리와 등에 꽂혔다. 온달을 암살하는 데 실패한 자객들은 홍이와 다른 고구려군에게 모두 제압당하였다. 온달과 홍이가 두치 곁으로 다가섰다.

"두치야."

주나라와의 전쟁 때 이미 그의 목숨을 한 번 구했던 두치였다. 온달의 품에서 두치가 힘겹게 말문을 열었다.

“홍이야, 온달아, 너희들이 있어 말갈인인 내가 고구려인처럼 신명나게 살다 고구려인답게 세상을 떠나는구나. 나의 형제들이여, 너희들과 함께 한 그 시간들을 소중히 간직할 테니, 다음세상에서 또 만나자.”

두치의 죽음에 홍이가 목 놓아 울었다. 분노가 극에 달한 온달은 슬퍼할 겨를이 없었다. 그가 직접 숨이 붙어있는 자객들을 문초하였다. 온달이 자객들에게 그들이 가져온 것이 아버지의 수급이 맞는지 물었다. 자객들은 틀림없다고 하였지만 그들의 말을 오롯이 믿을 수는 없었다. 온달은 만약 사실이 아니라면 신라군 포로들을 모조리 죽이겠다고 위협했다. 온달의 협박은 공갈이 아니었다. 온달은 두치의 목숨을 앗아간 자객들은 물론 신라군 포로들에게 자비를 베풀 생각이 전혀 없었다. 자비를 베풀어 두치가 살아난다면 모르겠지만.

두치가 생각나면 온달은 목이 메었다. 두치의 죽음을 잊으려고 우마리와 술 한잔을 하다가도 그 자신도 모르게 두치 이야기가 나왔다. 밥을 먹다가도, 평강과 이야기를 나누다가도 두치가 생각나면 저절로 눈물이 났다. 평강이 온달에게 말했다.

“부디 마음을 다스리십시오. 신라왕의 음모를 몰랐던 사람들도 있습니다. 지나친 보복은 고구려에게로의 복수를 꿈꾸는 신라에서 제2의 온달, 제3의 온달을 키울 뿐입니다. 개인적인 원한이 있어서가 아니라 전쟁을 하다가 발생한 일이니 어찌하겠습니까.”

홍이가 온달에게 말했다.

“저놈들을 다 죽여야 두치가 살아난다면 내가 벌써 다 죽였을 거야.”

힘없이 온달이 칼을 내려놓았다. 온달은 두치의 숨통을 끊은 자객 두 명만 처형하였다. 나머지 신라 자객들은 노비로 삼아 북쪽 멀리 흑수 너머로 보냈다. 온달은 신라에 다시 사신을 보냈다.

신라 진평왕은 온지추의 수급을 그 아들 온달에게 돌려줄 생각이 없었다. 절체절명의 순간에도 먹힐 이런 패는 함부로 사용하지 않는 것이 좋았다. 월성 주위에 이미 남산성을 쌓고 서형산성과 명활성을 보수하여 행여 있을지도 모를 온달의 급습에 대비는 해두었다. 성벽을 높이고 튼튼하게 쌓는 것으로 진평왕은 마음이 놓이지 않았다.

진평왕이 김비형金鼻荊을 찾아 불렀다. 그는 선대왕의 서자로 귀신과 어울린다는 괴상한 소년이었다. 진평왕이 김비형에게 말하였다.

"네가 가서 그 신통력을 한번 발휘해 보거라."

김비형이 빙긋 웃었다.

"온달에게 말이옵니까?"

"어찌 온달인 줄 알았느냐? 소문대로 네가 신통하긴 신통하구나."

"저에게 일천의 군사를 주시겠습니까?"

진평왕은 두말하지 않고 김비형에게 군사를 내주었다.

신라 진평왕은 그 덩치만큼이나 의지도 컸고 슬기도 있었다. 성격 또한 활달한 편이라 여느 신라왕들과는 달리 사냥도 좋아했다. 하늘로부터 옥대를 하사받았다며 그의 권위도 높이었다. 진평왕이 나제석궁內帝釋宮을 방문했을 때 그가 밟은 돌계단이 한꺼번에 세 개가 부서진 일이 있었다. 진평왕이 사람을 시켜 돌계단 아래쪽에 금이 가도록 미리 조치를 해둬 일부러 만들어낸 사건이었다. 진평왕이 주변의 사람들을 돌아보며 말하였다.

"이 돌을 그대로 둬 훗날 사람들이 볼 수 있도록 하라."

세인들이 노래를 부르며 천사옥대와 괴력의 진평왕을 칭송하였다.

구름 위 하늘에서 내린 옥대를 두르니
곤룡포와 우아하게 어울리네.
그 임금의 몸이 더욱 무거워졌으니
내일아침 쇠로 계단을 만든다 하네.[1]

진평왕의 밀명을 받은 김비형이 유람하듯 죽령을 넘어갔다. 죽령은 고갯길이라는 사실을 잊을 만큼 경사가 아주 심하진 않았다. 군데군데 자리한 다래나무 덩굴 옆에 우뚝 선 아름드리 상수리나무와 참나무는 햇살을 향하여 치솟아 있었다. 가팔라진 경사에 땀이 흘러내릴 즈음 물소리에 바람소리와 새 소리가 섞여 계곡을 감돌았다. 우거진 숲 속 멀찌감치 떨어진 능선에서 김비형은 아단성을 바라보았다. 고구려군이 아단성 성벽을 보수하고 있었다.

온달은 신라가 소백산맥 밖으로 쉽게 나오지 못하도록 방어선을 튼튼히 하는 중이었다. 며칠 전 평강이 온달에게 말하였다.

"축성을 하는 것, 특히 백성들이 살지도 않는 산성을 쌓는 것은 고아와 과부를 만드는 일입니다. 백성들의 복된 삶과 무관한 그 성을 차지하려 서로 죽고 또 죽일 터인데 그 원통함을 어찌 말로 다할 수 있겠습니까. 들판의 띠집에 살아도 바른 도를 행하면 복된 왕업이 영원히 계속된다 하였습니다."

1) 雲外天頒玉帶圍, 辟雍龍袞雅相宜, 吾君自此身彌重, 准擬明朝鐵作墀

고개를 끄덕이기는 했으나 온달은 평강의 청을 받아들이진 않았다. 소백산맥 남쪽으로 신라군을 몰아냈으니 철군할 명분은 있었다. 하지만 아버지의 수급을 되찾지 못했다. 온달이 머뭇거리자 이를 보다 못해 우마리가 아단성까지 내려왔다.

"지금 철군하는 것은 고구려의 이익에 반하는 일이 아니라 부합되는 일이다. 네 욕심만 챙기지 말고 이 나라도 좀 돌아봐. 이건 내 이야기가 아니라 평강공주님이 내게 했던 말이야."

서서히 온달이 고개를 끄덕이었다. 두어 달 전쯤부터는 영양왕도 이제 그만 철군하라고 성화였다. 아버지의 수급은 아무래도 훗날을 기약해야 할 듯싶었다. 기다리다 보면 낭보가 날아올지도 몰랐다. 온달이 우마리에게 말했다.

"그래, 쉬자. 잠시 쉬도록 하자. 다들 고생이 많았다."

온달은 아단성 보수만 마치면 철군하리라 마음먹었다.

*

아침 일찍 온달은 신라군이 아단성을 기습했다는 보고를 받았다. 신라군의 숫자는 일천 안팎이었다. 갑옷을 입고 투구를 쓰는 온달을 평강이 가지 말라 말리었다. 온달이 말하였다.

"오늘 해가 지기 전에 돌아오겠소."

집 밖으로 나온 뒤 온달이 호위무사 네 명을 은밀히 불렀다. 그들에게 량주홍의 세 아들 중 막내아들을 죽이라는 밀명을 내렸다.

"내가 아단성에 가 있는 동안 그놈을 죽여라. 단, 칼을 써서는 안 된다. 그래야 평강이 의심하지 않을 것이다."

온달은 때를 봐가면서 량주홍의 다른 두 아들도 죽일 생각이었다. 평강이 눈치 채지 못하게.

온달이 일만의 군사를 거느리고 아단성으로 말을 몰았다. 성 주변에서 고구려군과 신라군이 어지러이 흩어져서 싸우고 있었다. 온달이 군사를 나눠 신라군을 포위하고 산 아래서부터 신라군을 공격하기 시작했다.

해가 서천으로 향할 무렵 신라군 진영에서 항복을 알리는 백기가 올라왔다. 일천 신라군이 왔는데 육백여 명밖에 남지 않았다. 무기를 내던진 신라군이 두 손을 든 채 하나둘 앞으로 걸어 나왔다. 신라군을 이끌고 온 김비형이 온달 앞에 무릎을 꿇었다. 온달이 김비형에게 말했다.

"투구를 벗어라."

앳된 얼굴의 소년이었다. 그런데 어디선가 본 듯한 얼굴이었다. 온달이 김비형의 얼굴을 자세히 바라보는 사이 화살 하나가 바람을 가르며 날아왔다. 낮은 신음을 토해낸 이는 온달이었다. 온달은 화살에 맞은 통증보다 누가 쏜 화살인지 그 궁금함이 더 컸다. 화살을 쏜 사람이 도대체 누구인 것인지. 등에 화살을 맞은 채 온달이 고개를 돌리었다.

화살을 쏜 신라군은 부들부들 떨고 있었다. 그는 신라군 기수가 올린 백기를 미처 보지 못한 듯싶었다. 겁을 잔뜩 집어먹은 얼굴은 창백했다. 아니 그 군사 혼자만이 아니었다. 고구려군에 항복한 모든 신라군이 겁에 질렸다. 겨냥도 하지 않은 화살이 하필 고구려의 대장군을 맞혔다. 항복한 신라군을 기다리고 있는 것은 불길한 운명임이 분명했다.

얼굴이 창백해지다 못해 하얗게 질린 사람은 신라군만이 아니었다. 온달 바로 곁에 있던 홍이를 비롯한 고구려군도 무척 당황해했다. 정신을 차린 홍이가 온달에게 다가가 상처를 살피었다. 상처는 깊지 않았으나 화살촉에는 독이 묻어있었다.

"이놈들이 독을 써!"

화가 치민 홍이를 비롯한 고구려군의 얼굴이 붉으락푸르락해졌다. 홍이가 고구려군에게 명하였다.

"놈들에게 삽을 줘라. 아니, 삽도 아깝다. 맨손으로 땅을 파게 하라. 저놈들을 모두 생매장 해버리겠다."

고구려군이 모두 고개를 주억거렸다. 온달은 그런 홍이를 내버려두었다. 이참에 이 천형같이 지긋지긋한 복수전을 끝내고 싶었다. 아버지의 복수와 두치의 복수 또한 해주고 싶었다.

온달을 부축한 채 한 발짝씩 내딛는 홍이의 걸음은 바위를 옮기는 것 같았다. 온달은 중태였다. 작아지는 온달의 숨소리와 달리 숨이 목 끝까지 차올라 뿜어내는 홍이의 거친 숨소리가 숲에 작은 메아리를 만들어냈다.

온달이 낭비성으로 되돌아가는 동안 신라군이 울면서 흙을 파기 시작했다. 구덩이가 커질수록 신라군의 울음소리가 커져갔다.

달캉거리는 손수레에 누워 온달이 하늘을 바라보았다. 하얀 뭉게구름 조각이 새파란 하늘에 더 새하얗게 보였다. 꽃송이처럼 피어난 저 구름은 일몰과 더불어 사라질 것이었다. 내일도 오늘처럼 파란 하늘에 맑은 날씨일 터였다. 그 옛날 그의 아버지처럼 그도 화살에 맞았다. 왜 그가 화살에 맞은 것인지 온달은 궁금해 했다. 그 옛날 그의 아버지를 죽음으로 몰고 간 것은 배반자의 화살이었지만 지금 그의 운명을 재촉하는 것은 우연의 화살이었다. 죽는 것은 억울하지 않았다. 복수는 할 만큼은 했다. 아니, 억울했다. 복수는 아직 끝나지 않았다. 어디까지 해야 복수를 다한 것인지 모르는 것이 원통할 따름이었다. 그에게 대답해줄 수 있는 사람이 생각났다. 평강, 온달은 평강의 얼굴을 떠올렸다. 머릿속에, 두 눈앞에 평강의 얼굴이 잘 그려지지 않았다. 독기가 점점 강해지고 있었다. 아니었다. 독기가 강해지는 것이 아니라 온달의 마음이 약해지고 있었다. 온달은 소망했다. 그의 죽음이 부질없는 짓이 되지 않기를.

마차가 끄는 들것에 실린 채 온달이 낭비성에 당도하였다. 소문을 듣고 백성들이 우르르 몰려와 있었다. 화급히 성문 밖까지 달려 나온 평강이 울먹였다. 앉지도 못하는 온달을 보고 평강이 물었다.

"어찌된 일입니까?"

홍이가 평강에게 자초지종을 말하는 동안 온달이 입을 열었다.

"평강."

"말씀 하십시오."

"역시 난 바보인가 보오. 이리 먼저 가서 미안하오. 평강."

평강이 아들 온권후를 불러오라 하였다. 울먹이는 온권후를 가리키며 평강이 온달에게 물었다.

"이 아이가 복수를 해주시길 바랍니까? 복수를 하지 않기를 바라십니까?"

온달이 온권후에게 말했다.

"복수를 해다오. 권후야, 이 아비의 복수를 해다오. 할아버지의 복수도 해다오."

온권후는 울기만 할 뿐이었다. 온달이 말했다.

"복수를 해라!"

"예."

온달이 피를 토하는 동안 온권후가 겨우 대답했다. 평강이 온달에게 말하였다.

"저는 낭군과 달리 이 아이는 타인을 위한 삶이 아닌 이 아이 자신의 삶을 살기를 바랍니다. 그래서 저는 이 아이가 복수를 하지 않기를 바랍니다. 하지만, 제 뜻을 이 아이에게 강요하진 않겠습니다. 이 아이의 선택에 맡기겠습니다."

온달이 고개를 끄덕이었다. 그의 아들이라면 그처럼 복수를 할 거라 믿었다. 온달이 내민 손을 평강이 잡아주는 동안 마침내 온달이 운명하였다. 평강이 하늘을 올려다보았다. 새는 보이지 않는데 어디선가 새 울음소리가 들려왔다. 백성들이 땅을 치며 슬퍼하는 사이 평강이 말을 대령하라 하였다. 홍이가 평강에게 말하였다.

"공주님, 어딜 가시려고 하십니까?"

"신라군을 다 죽일 수는 없지요. 그 가운데는 분명 죄 없는 사람도 있습니다."

"죄가 없다니요? 저들은 우리 고구려를 침략한 적입니다."

"이 곳은 얼마 전까지 신라 땅이었습니다. 그들도 잃어버린 땅을 되찾으려 한 것뿐입니다. 언젠가 이곳은 백제 땅이기도 했고 또 언젠가는 우리 고구려의 땅이기도 했습니다. 하지만 이 땅의 주인은 신라와 백제와 고구려가 아닙니다. 이 땅은 저 백성들의 것입니다."

말을 마친 평강이 직접 아단성으로 말을 몰아갔다.

평강이 아단성 아래에 이르렀을 때 신라군은 구덩이 속에서 눈물만 흘리고 있었다. 고구려군이 흙으로 구덩이를 메워 신라군을 생매장할 참이었다. 평강이 신라군을 향해 말하였다.

"고구려의 대장군에게 화살을 쏜 자가 누구냐?"

신라군이 손가락으로 피투성이가 된 채 땅바닥에 쓰러져있는 군사를 가리켰다. 그 군사는 숨이 붙어있는지조차 알 수 없는 몰골이었다. 평강이 신라군에게 물었다.

"살아 있느냐? 죽었느냐?"

신라군이 고개를 가로저었다.

"어찌 된 일이냐?"

신라군이 침묵하는 사이 고구려군이 대답하였다.

"이렇듯 저들이 죽게 된 건 저 군사 탓이라며 다른 군사들에게 몰매를 맞았습니다. 공주님, 저 군사는 이미 틀린 듯싶습니다요."

눈을 지그시 감았던 평강이 이번에는 하늘을 올려다보았다. 고구려군사에게 명하였다.

"저들을 살려줘라."

고구려군도 신라군도 모두 평강을 바라보았다. 평강이 신라군에게 다시 말하였다.

"모두 똑똑히 들어라. 조금 전 고구려 대왕의 부마가 서거하셨다. 그분이 너희들 모두를 살려주라 하셨으니, 그 은혜를 알고 집으로 돌아가라. 대신 맹세를 하고 가라. 고구려를 다시 쳐들어오지 않겠다고. 다시 쳐들어올 땐 하늘이, 우리 고구려가, 내가 용서치 않겠다."

신라군은 환호성을 지르지 못했고, 고개를 숙이지도 들지도 못하였다. 구덩이 안에는 그들이 때려죽인 신라군이 있었고 구덩이 위에는 그들을 살려준 평강이 있었다. 고구려를 침범하지 않겠다고 맹세를 한 뒤, 신라군이 하나둘씩 고구려군이 내려준 동아줄을 타고 구덩이 밖으로 나왔다. 터벅터벅 신라군이 고향을 향하여 걷기 시작했다.

어느 순간 신라군 하나가 평강에게 달려와 엎드렸다. 그는 평강에게 고구려의 백성이 될 테니 거두어 달라하였다. 그는 울먹이면서 기꺼이 평강의 노비로라도 고구려에서 살겠다고 하였다. 발길을 돌린 신라군이 평강에게 우르르 몰려왔다. 이백여 신라군사가 고구려인으로 살겠노라 평강에게 맹세하였고 나머지는 고향으로 떠나갔다.

평강이 관에 안치된 온달을 바라보았다. 오래도록 온달의 얼굴을, 날이 새도록 그의 관을 쳐다보았다. 온달과 마음을 함께했을 때 평강은 해가 떠있을 때는 달이 떠오르기를 기다리지 않았다. 달이 떠있을 때엔 해가 떠오르기를 바라지 않았다.

온달 없이 오늘 하루해가 무심히 지나갔다. 이 사람이 없어도 내일 하루의 해는 또 지나갈 것이었다. 잊자. 지금과 달라질 게 없고 별다른 것 또한 없으리라. 잊어버리자 다짐했어도 평강이 내일 누릴 기쁨과 겪을 슬픔은 온달과 무관하지 않았다. 온달이 남긴 그림자보다 더 길고 짙은 그림자인 그의 아들이 남아있었다. 뱃속에도 새 생명이 자라고 있었다. 한 걸음, 그리고 다시 한 걸음, 평강은 남은 생은 아이들과 함께 하루하루 걸어갈 것이었다.

온달의 전사 소식을 듣고 영양왕이 신하들 앞에서 눈물을 감추지 못했다. 온달모는 실신하였다. 온달의 죽음을 가까이에서 목격한 낭비성 백성들은 물론 고구려 백성들 전체가 큰 충격에 빠졌다. 두치와 온달을 잃고, 격무에 시달려야 했던 홍이도 몸살로 앓아 누웠다.

평강이 홍이에게 뒤처리를 맡기고 평양성으로 떠나가는 날이었다. 평강이 아들의 손을 잡고 우마차에 올랐다. 평강은 아단성 쪽을 뒤돌아보지 않았다. 남편 온달이 데릴사위로 걸어온 청운의 길은 이제 저세상으로 가는 마지막 길이 되었다. 온달의 꿈과 소망을 그가 흘린 피와 땀을 저 땅 깊숙이 묻었다. 소백산 마루 너머로 불어오는 거센 바람이 그의 욕망과 바람을 데려갈 것이었다. 쓰라린 가슴으로 평강이 온권후를 꼭 껴안았다. 그녀는 다시는 남녘을 쳐다보지 않겠노라 다짐했다. 평강이 마부에게 말했다.

"가자."

평강이 탄 우마차의 바퀴가 굴러가기 시작했다. 그런데 오래지 않아 군사들과 백성들이 술렁이기 시작했다. 홍이가 평강에게 달려왔다.

"공주님."

"무슨 일입니까?"

온달의 관이 땅에서 떨어지지 않는다고 하였다. 평강이 우마차에서 내렸다. 온달이 떠나기 싫은 것이었다. 이 땅을 죽어서도 떠나기 싫은 것이었다. 온달의 관으로 다가가 평강이 군사들에게 말했다.

"관 뚜껑을 열어라."

온달은 눈을 감고 있었다. 평강은 두 눈으로 온달을 보고 있는데 온달은 눈을 감고 평강을 보지 않고 있었다. 평강이 온달의 얼굴을 어루만지며 말하였다.

"죽고 사는 것이 결정되었으니, 아아! 돌아가십시다."

비통해하지 않는 사람이 없었다. 수많은 백성들의 눈물이 땅을 적신 뒤 군사들이 온달의 관을 들 수 있었다. 서서히 관을 실은 수레가 움직이기 시작했다. 그 뒤를 따라 평강과 아들 온권후가 탄 수레가 홍이의 배웅을 받으며 움직이기 시작했다. 하지만 평강이 탄 수레의 바퀴는 또다시 굴러가지 못하였다. 이번에 그 수레바퀴를 막아선 것은 평강이 그토록 돌봐줬던 낭비성 백성들이었다.

제 3 장

소국과민

9. 백성들이 평강을 따라가다

평강 일행은 낭비성을 벗어나지 못하고 다시 멈춰서야 했다. 낭비성 주민들이 온달의 운구 행렬을 가로막아선 것이었다. 주민들의 대표 수십여 명이 평강 앞에 엎드렸다.

"공주님, 이곳 주민들은 고구려, 백제, 신라, 삼국 간 전쟁으로 하루도 맘이 편한 날이 없었습니다. 하여 저희들도 이 땅을 떠나 공주님을 따라 가겠사옵니다."

백성들이 자발적으로 제 고향을 떠나고 싶어 할 정도로 삼국의 한강유역 쟁탈전은 격렬했다. 격렬한 만큼 원한은 쌓여갔고 쌓인 원한은 또 다른 피바람을 불러왔다. 이 땅은 기쁨보다 슬픔이 웃음보다 눈물이 많은 곳이었다. 홍이가 반대하고 나섰다.

"공주님, 아니 될 말이옵니다. 백성들이 떠나면 이 땅은 누가 지키겠사옵니까. 백성들이 있어야 군대가 주둔할 수 있고 군대가 이곳에 주둔할 필요가 있는 것이옵니다."

사람이 살지 않는 땅은 황무지나 다름없었다. 백성들이 살아가야 온달이 이 땅을 수복한 보람이 있었다. 평강의 마음이 흔들리려는 순간 백성들이 그녀에게 말하였다.

"신라의 군사들까지 받아주신 공주님께서 어찌 저희를 버리시려 하옵니까."

"공주님, 저희들을 좀 데려가주세요. 저희 모두를 데려가실 수 없다면 아이들만이라도 좀 데려가주세요."

이곳 백성들은 지금은 고구려인이지만 어느 한때는 백제인이었고 얼마 전까지는 신라인이었다.

평강이 주민들을 대표하는 촌장들에게 물어봤다. 신라 백성으로 사는 거랑 고구려 백성으로 사는 거랑 뭐가 다른지. 신라 영토가 되고 첫 삼 년간은 주민들을 회유하기 위해서 조세를 면해줬다고 했다. 그것은 고구려나 백제도 마찬가지였다. 촌장들이 진짜 문제는 골품제도라고 했다. 골품이 높은 사람한테 신라는 지상낙원이나 다름없지만 골품이 낮은 백성들은 겉모습만 사람일 뿐 사람대접을 받지 못했다. 차별은 어느 나라든 다 있는 것이지만, 신라는 그 격차가 너무 심했다. 그리고 비록 평민일지라도 강대국 고구려의 백성으로 사는 게 조금이라도 이로울 터였다. 평강이 촌장들에게 말했다.

"이 땅을 떠나려는 백성들이 모두 몇이나 되느냐?"

"팔천 남짓으로 전체 주민의 반 가까이 되옵니다."

적지 않은 숫자였다. 백성이 먼저인지 영토가 먼저인지 평강은 결단을 내려야했다. 주민들의 이주를 허용한다면 수복한 영토의 반은 임자 없는 땅이 될 것이었다.

평강이 홍이에게 말하였다.
"이주를 원하는 주민들을 군사들로 하여금 호위하게 하세요."
"하오나, 이는 공주님이시라도 독단으로 결정할 수 없는 일이옵니다. 대왕께 청을 올려 재가를 받은 후에야 가능한 사안이옵니다."
맞는 말이었어도 평강은 그녀를 따라가겠다는 백성들을 외면하지 못하였다.
"저들을 길에다 언제까지 세워둘 참입니까? 대왕께는 제가 말씀드리겠습니다."
평강은 복안이 있었다. 그녀는 이주를 원하는 백성들을 이참에 평양성이 아닌 그 북쪽으로 데리고 갈 심산이었다. 남쪽 땅과 그 하늘은 두 번 다시 쳐다보지도 않을 작정이었다. 한강유역은 어릴 적 평강만큼이나 백성들이 눈물을 많이 흘린 땅이었다.

평강이 출발을 미루는 동안 백성들이 더 모여들었다. 평강을 따라 떠나려고 작정했던 백성들은 이미 우마차와 수레에 짐을 실을 수 있을 만큼 실어두었다. 여자들은 봇짐을 손에 들고 아이들도 보따리를 어깨에 메고 손에 들었다.
막 출발하려던 참에 어떤 아이가 엉덩이를 움켜쥐더니 뒷간에 다녀와야겠다고 했다. 아이들이 하나둘씩 땅바닥에 짐을 내려놓았다. 뒷간에서 줄을 서서 차례를 기다리는 아이들이 발을 동동 굴렀다.

어른들은 마당에 서서 사립문을 나간 뒤 문밖에 서서 그들이 살던 집을 주욱 둘러보았다. 백성들은 연신 눈물을 훔치었다. 다 쓰러져가는 초라한 이 집에 무슨 미련이 있다고 눈물이 나는 것인지 몰랐다. 아마 다시는 돌아올 수 없을 것이었다.

고향을 떠나가는 백성들이 발걸음을 쉬이 떼지 못하자 그들을 떠나보내는 백성들이 홀가분하게 떠나라며 어깨를 토닥였다. 눌러앉은 백성들은 이주하는 백성들이 보이지 않을 때까지 손을 흔들어주었다. 수천의 백성들과 함께 고구려의 공주 평강이 평양성으로 향하였다.

낭비성에서 평양성으로 되돌아가는 길은 삐뚤빼뚤했다. 평강이 대지의 속살을 휘도는 한강을 쳐다보았다. 햇빛을 튕겨내는 푸른 강물이 넓디넓어 보였다. 제자리서 감도는 듯한 강물이 너무 맑아 가까이할 수 없었다. 저기 강가 밭에는 수수 열매가 여물어가고 있었다. 파란 하늘에 마음은 목이 멘 듯 조여 왔다. 그토록 사랑했던 사람이었는데, 어떻게 다시 맺은 인연인데, 평강은 저 하늘이 남편 온달의 죽음이 누구 탓인지 물어올 것 같았다.

평강은 이제 삼십대 중반일 뿐이었다. 게다가 아들 온권후는 아직 어린 철딱서니였다. 사방이 암흑인 것처럼 막막하기만 했다. 비가 올 듯하였으나 비는 내리지 않았다.

온달의 운구행렬이 평양성으로 되돌아가는 길은 보기 드문 광경이 펼쳐졌다. 지나가는 고을마다 소문을 들은 백성들이 눈물로 온달의 시신과 평강을 마중하였고 눈물로 배웅하였다. 백성들에게 평강이 말하였다.

"그만들 울거라."

애도가 지나치다며 평강이 외려 백성들을 달래었다. 떠나가는 평강에게서 백성들이 눈을 떼지 못했다. 슬퍼하지 않으려 애쓰는 평강의 모습에 마음이 더 아렸다.

저 멀리 웅장한 장안성이 보였다. 장안성은 패수와 사수, 두 물줄기 사이에 안겨있었다. 강물에 떠있는 오리처럼 장안성을 물 위에 건설한 듯 싶었다. 유리처럼 투명한 강물이 삼천 년 고도 평양을 오롯이 반영해 내었다. 강가에 펼쳐진 너른 벌판 너머 산들이 어깨동무하듯 늘어서 있었다. 사수를 가로지르는 나무다리와 이어진 길은 장안성까지 곧장 통하였다. 다리 위를 오가는 우마차와 수레 행렬이 끊이지 않았다. 평양하면 역시 빼어난 풍광이었다.

평양 구경을 처음 하는 백성들은 이곳저곳을 두리번거리느라 정신이 없었다. 이것이 사람 사는 냄새라며 코를 킁킁거렸다.

"사람 사는 냄새가 아니라 음식 냄새겠지."

"난 이렇게 많은 사람들 처음 봐."

"이 무식한 녀석. 자고로, 사람은 평양으로 보내고 말은 태어나면 부여의 대초원으로 보내라고 했느니."

"이 사람들아, 공주님을 생각해서 좀 조용히 해."

온달의 관을 앞세우고 마침내 평강이 평양성으로 돌아왔다. 낭비성 일대 주민 팔천여 명도 함께였다. 평양성 주민들이 나와 온달과 그 일행을 맞아주었다. 백성들이 젊은 평강과 어린 온권후를 보고 탄식을 하였다.

특히 서민들에게 꿈과 용기를 주었던 영웅 온달이 마흔이 채 안 돼 그들 곁을 떠났다. 주인공이 오래오래 행복하게 살았다는 할머니의 옛날이야기가 허망했다. 서민들은 눈시울이 저절로 붉어졌다. 눈물 한 방울 보이지 않는 평강의 모습이 더 처연하게 보였다. 평강 앞에 엎드려 흐르는 눈물을 주체하지 못하는 서민들이 숱하게 많았다.

평강이 떠난 뒤 백제가 낭비성 남쪽 신라 땅 가잠성을 공격하였다. 백제군은 가잠성을 완전히 포위하였고 가잠성 성주는 석 달이 넘도록 처절하게 저항했다. 진평왕은 여러 장군들에게 가잠성을 구원하도록 명했으나, 모두 포위망을 뚫지 못하고 그냥 되돌아갔다.

가잠성 성주는 양식이 떨어지자 시체를 뜯어 먹고 오줌을 마시면서 싸웠다. 한겨울이 되자 성 안 사람들의 기력이 쇠진하여 한계에 이르렀다. 가잠성 성주는 죽어 귀신이 돼서라도 성을 수복하겠다며, 느티나무에 머리를 부딪쳐 자결하였다. 그 뒤 가잠성은 함락되었고 군사들은 모두 항복하였다.

훗날 이 성주의 아들 역시 가잠성 수복 전투에서 장렬히 최후를 맞았다. 손씨 부자가 같은 성에서 전사하였다는 소식에 진평왕이 애통해하였다. 진평왕은 그들의 장사를 예를 갖춰 치러줬고 남은 가족을 보살펴주었다. 수많은 사람들이 조위하며 손씨 부자의 죽음을 애도하였다.

손씨 부자가 죽었지만 손씨 부자만 전장에서 죽은 게 아니었다. 온달이 죽었지만 온달만 죽은 것 또한 아니었다. 온달의 적이었던 신라군에도 희생자가 있었고, 온달과 동지였던 고구려군 가운데도 피해자가 있었다. 그 중에 정가압井加鴨이라는 군사가 있었다.

설나나薛娜娜는 아버지가 늙은 나이에 군대에 징집된 탓에 걱정이 많았다. 그 모습을 보고 데릴사위인 정가압이 말했다.

"그대 아버지대신 내가 전장으로 가겠소."

설나나가 아버지에게 이 사실을 알리니 그가 정가압을 찾아 불렀다.

"이 늙은이가 해야 할 일을 사위가 대신 해주겠다니 기쁘면서도 한편으론 미안하기 그지없구나."

정가압이 장인에게 혼인날을 청하니 설나나가 말하였다.

"혼인을 갑작스럽게 할 수는 없지 않겠습니까. 그대가 돌아온 후에 날을 잡아 예를 올리겠습니다."

거울을 둘로 쪼개어 정가압과 설나나가 한 쪽씩 나누어 가졌다.

"이것을 신표로 훗날 다시 합칩시다."

정가압이 작별을 하고 떠났다.

정가압은 신라군에게 붙잡혀 그만 포로가 되고 말았다. 정가압이 어언 삼 년이 다 되도록 돌아오지 못하니 설씨가 딸에게 말하였다.

"데릴사위가 포로가 되었다니 다른 집에 시집을 가거라."

"지난날 그 사람과 굳게 약속하였습니다. 그 사람이 제 말을 믿고 군대에 나갔다가 적의 포로가 되었습니다. 지금 신의를 버린다면 어찌 인간의 정이라 하겠습니까. 아버지 명을 따를 수 없으니 청컨대 다시는 그런 말씀하지 마십시오."

하지만 설 씨는 딸을 시집보내겠다고 마을 사람과 혼인을 약속하였다. 결혼 날이 다가오자 설나나가 집을 나와 평강을 찾아왔다. 설나나에게서 사연을 들은 평강은 난처해했다. 고구려는 전쟁에서 지거나 항복한 자를 사형시킬 정도로 법이 엄했다. 평강은 일단 신라에 사람을 보내 정가압의 행방을 수소문하기로 하였다.

정가압은 신라에서 몰래 도망을 치려다 붙잡혀 노비로 전락해 있었다. 평강이 신라로 보낸 심부름꾼이 돌아와 보고하였다.

"정가압이 혼인을 하지 않고 있는데 그 연유가 설나나와의 언약을 지키기 위해서였사옵니다. 게다가 그는 설나나와 신표로 나눠가진 거울이 깨지거나 잃어버릴까 우려해 그 팔에 조각난 거울 모양대로 문신을 새겼다 하옵니다. 이 사연을 들은 신라 사람들도 정가압을 불쌍히 여기는데 그의 주인이 된 신라인은 오히려 그를 못살게 굴고 있었사옵니다."

이 소식은 평강의 마음을 움직였다. 정가압이 신라를 탈출하려다 붙잡혀 노비가 되었으니 그 죄를 경감해줘도 무방할 것이었다. 게다가 그는 장인의 군역을 대신하다 변을 당한 것이었다. 그런데 정가압을 데려오는 일은 쉽지 않았다. 정가압이 전쟁포로인데다가 그의 주인이 욕심을 부려 정가압의 몸값을 올렸기 때문이었다. 평강은 용단을 내렸다. 보통 노비 값의 다섯 배를 치르고 그를 고구려로 데려왔다.

정가압이 자유의 몸이 되어 귀국했을 때, 마른 나무처럼 야윈 그를 아무도 알아보지 못하였다. 심지어 설나나도 그를 알아보지 못하였다. 정가압이 설나나에게 삼 년 동안 간직하고 있던 깨진 거울 한 쪽을 보여주었다.

정가압이 설나나와 함께 평강을 찾아와 엎드려 절을 하였다.

"그 무엇으로 이 은혜에 보답을 하겠습니까."

평강이 말하였다.

"군사가 되어 나라를 지키는 일은 백성이라면 마땅히 해야 하는 일이지만, 정가압에게 다시 군역을 부담하라는 것은 국가가, 우리 고구려가 차마 할 짓이 못 된다. 향후 정가압의 군역은 면제해주겠다."

정가압과 설나나는 지난날 언약대로 혼인을 하였다. 평강이 노비로 전락한 정가압을 후한 값을 치르고 신라에서 사왔다는 이 이야기는 사람들 사이에서 두고두고 회자되었다. 정가압과 설나나의 가족은 물론 다른 백성들도 평강의 마음씀씀이를 잊지 못했다. 평강은 역시 평강이었다. 서민들의 영웅 온달은 없어도 그들 곁에는 고구려의 딸 평강이 있었다.

*

고구려에서는 사람이 죽으면 집안에 빈소를 차려 놓고 삼 년 뒤 날을 골라 장사를 지냈다. 온달의 장례도 이 관습을 따르기로 하였다.

평강의 만류에도 불구하고 영양왕은 정성들여 온달의 꽃무덤을 만들라 하였다. 화공들은 온달의 무덤 안 네 벽과 천장에 화사한 연꽃을 정성스레 그려 넣었다. 또한 용과 봉황을 탄 신선이 꽃구름 속을 날아다니는 벽화를 그렸다. 신선은 머리를 틀어 올린 여자였는데 평강을 형상화한 것일 터였다. 그다음 장인들이 해와 달과 별들을 금가루로 화려하게 치장하였다.

헤아릴 수 없이 많은 백성들이 온달의 빈소를 다녀갔다. 영양왕도 두 번이나 들렀다. 영양왕은 평원왕처럼 온달의 출정을 말리지 못한 그 자신을 책망했고 하늘을 탓하였다. 온달에게 미안했고 고구려 백성들에게 미안했고 그 누구보다 평강에게 미안했다. 온달이 죽은 지 몇 달 뒤 평강이 유복자를 낳아서 더 미안했다. 이 둘째 아들은 평강의 뜻에 따라 온권명이라 이름 지었다.

해가 바뀌고 또다시 해가 바뀌어, 온달의 장례식이 영양왕이 직접 참석한 가운데 무덤이 자리한 온산溫山의 들에서 거행되었다. 극도로 쇠약해진 온달모는 예식에 참석하지 못하였다. 온달의 형제들이 상복을 입고 조문객들을 맞이했다. 숙연한 분위기 속에 평강과 온권후 모자가 소복을 입고 나타났다. 어느덧 열다섯 성인이 된 온권후가 온달의 묘 앞에서 대성통곡을 하였다. 지난날 그토록 평강을 시기하고 질투하던 평원왕비와 둘째왕자도 이때만큼은 그 마음을 거두었다.

고구려인은 초상을 치를 때는 눈물을 흘리며 곡을 하였으나 마지막 장사를 지낼 때는 오히려 풍악을 울리면서 춤을 추고 노래를 하였다. 이것은 망자를 위한 축원이기도 하였다. 장례식이 끝나자 온달이 입었던 갑옷과 쓰던 무기, 타고 다니던 수레와 말을 무덤 옆에 놓아두었다. 평강은 부장품을 땅에 묻지 않고 백성들이 골고루 가져가도록 하였다. 백성들이 앞 다투어 그들의 영웅 온달의 유품을 가져갔다. 평강은 유품을 백성들에게 베푸는 것을 온달도 기꺼워하리라 믿었다.

장례를 마친 뒤 평강과 영양왕이 마주했다. 영양왕은 하나밖에 없는 여동생 평강을 볼 면목이 없었다. 그는 부왕인 평원왕이 온달에게 군사를 내어주지 않은 그 심정을 뒤늦게 헤아렸다. 평강이 영양왕에게 말하였다.

"평양성을 떠나려 하옵니다. 저를 따르는 백성들을 데리고 이주하겠사옵니다."

"이주를 한다니? 어디로 말이냐?"

"아들과 함께 가겠사옵니다."

안시성으로 가겠다는 대답이었다. 그녀의 아들 온권후는 안시성 성주였다. 영양왕이 아직은 젊디젊은 평강을 지그시 바라보았다. 남쪽을 멀리하려는 평강의 심정은 이해하고도 남았다. 말린다고 들을 평강이 아니었다. 그녀의 고집을 익히 알고 있는 영양왕이 말했다.

"무엇을 더 해주랴? 필요한 게 있으면 뭐든 말하거라."

평강이 고개를 가로저었다. 영양왕이 말하였다.

"머지않아 수나라와 전쟁이 있을 듯싶다. 안시성은 토성인데다가 성벽이 낮으니 보다 안전한 요동성으로 가는 게 어떻겠느냐?"

"성이 높이가 백 척이나 되고 성벽이 철벽같다 한들 여러 사람이 합심한 성보다 못할 것입니다. 성이 제아무리 견고하다한들 백성이 단합하지 않으면 누가 지키겠습니까. 나라를 튼튼하게 하는 방법은 군주의 덕에 있지, 지세의 험준함에 있지 않다 생각합니다."

"그리 말하는 걸 보니 안시성에서 뭘 할지 생각해둔 게 있는 거 같구나."

"그곳에서 부국강병을 이뤄보겠습니다. 아니, 안시성만의 소국과민이옵니다."

부국강병, 고구려 군사력은 천하제일이라 칭할 만했다. 백성들을 골고루 부유하게 해주기만 하면 국방은 걱정 없다는 게 평강의 지론이었다. 단 내부 분열이 없다는 전제조건이 있어야 했다. 평강이 말하였다.

"이곳 평양성에서 그 어떤 일이 벌어지든 저는 관여치 않을 것입니다. 대왕의 뒤를 이어 그 누가 고구려의 대왕으로 즉위하든 말입니다. 그러하오니."

"안시성에서 네가 그 어떤 일을 하든 상관하지 말라는 것이더냐?"

"그렇습니다. 오라버니, 저는 정치는 모릅니다. 제가 아는 것은 단 하나, 우리 고구려에 분열이 없어야 한다는 말씀 하나만은 드리고 싶습니다."

영양왕이 고개를 끄덕이는 것으로 평강의 요청을 받아들였다.

평강이 안시성으로 이주한다는 소식을 듣고 우마리가 그녀를 찾아왔다. 평강 앞에 커다란 보석함 여러 개를 내놓으며 우마리가 미소를 보였다.

"이만큼의 보석이면 자그마한 성 하나는 살 수 있을 겁니다요."

평강이 사양하자 우마리가 말하였다.

"팔천 명이나 되는 백성들을 안시성으로 데려가신다면서요. 그들을 굶게 하면서 그 먼 길을 갈 작정이십니까? 그들이 살 집은 언제 마련해 주시려구요?"

고개를 끄덕이다가 평강이 웃었다.

"고맙습니다. 정 그렇다면 이 돈으로 진대법의 이자를 낮춰주세요."

다 터놓진 않았어도 우마리는 평강의 속마음을 읽었다. 백성들이 진대법으로 나라의 도움을 입어봐야 나라의 은혜도 알 것이었다. 진대법 이자를 낮추면 다른 지역 백성들까지 골고루 혜택을 볼 수 있었다. 우마리가 평강에게 말했다.

"진대법에 쓰이는 곡식을 배로 늘리겠습니다. 그리하면 환곡에 붙는 이자가 반 가까이 낮아질 겁니다."

"그만큼의 곡식이라면 수백만 냥일 터인데, 그리 많은 재물을 써도 되겠습니까?"

"걱정하지 마십시오. 삼 년이면 다시 제 주머니로 돌아올 테니."

"정녕 그러하오?"

"공주님, 혹시 우리나라에서 제일가는 부자가 누구인지 아십니까?"

"그대 아닙니까?"

"아닙니다. 제가 보기에 제일 큰 부자는 공주님이십니다."

"그리 말하자면, 제 눈에는 우리 대왕님이 제일 부자십니다."

"앞으로도 죽 선정을 베푸시면 그리되겠지요. 그때까진 공주님이 갑부십니다."

"덕담으로 알겠습니다."

소문을 듣고 가난한 백성들이 우마리 집으로 몰려가 고맙다며 울먹이었다. 우마리가 이는 모두 평강공주의 뜻이라며 공치사를 사양하였다. 평강을 따라온 낭비성 주민들 거의 다 관청에 진대법을 요청하였다. 하지만 진대법의 혜택을 입은 백성은 옛 낭비성 주민들뿐만이 아니었다. 진대법 덕에 한시름 놓은 백성들이 나서 평강의 안시성 이주를 십시일반 도왔다.

진대법의 이자를 반으로 낮춘 일로 우마리의 이름이 널리 떨치었다. 한 사람의 백성이 국가도 하기 힘든 일을 한 셈이었다. 소문을 들은 영양왕이 우마리를 남부 막리지에 임명하려 하였으나 귀족들이 들고일어나는 바람에 그는 막리지가 되지 못하였다. 평강과 온달이 그 벽을 낮추려 애썼건만 신분의 차이와 그 차별의 벽은 하루아침에 사라지지 않았다.

어느 날 홍이가 두치의 아들을 데리고 평강의 사저를 찾아왔다. 두치의 아들 이름은 작은 두치라는 뜻의 아두치亞豆齒였다. 홍이가 평강에게 말했다.

"공주님, 아두치와 저도 안시성으로 이주하기로 했습니다."

온달대신 온달모를 홍이가 모시겠다고 하였다. 평강도 기뻐하였다. 홍이가 있으면 아무래도 시어머니가 덜 적적할 듯싶었다.

홍이의 안시성 이주는 그의 바람도 있었지만 영양왕이 개입하였다. 홍이는 평강과도 친밀했고 듬직함에 있어서는 그 누구에게도 뒤지지 않았다. 홍이 본인도, 온달에게서 추억을 들었던 평강과 영양왕도 홍이의 이름에 얽힌 사연을 기억하고 있었다.

어렸을 적 온달이 홍이에게 그의 이름이 무슨 뜻인지 물은 적이 있었다. 홍이가 머리를 긁적이었다.

"난 내 이름을 누가 지어줬는지도 몰라. 그냥 어렸을 적부터 홍이라고 불렸어. 홍이라고 맨 처음 불러 준 사람이 내 부모님인지, 아님 할아버지인지 할머니인지, 그것도 기억 안 나."

상처를 건드린 거 같아 온달이 미안해하자 홍이가 손을 저었다. 홍이에게 어울릴 것 같다며 온달이 찰흙 판에 弘夷라고 썼다.

"클 홍, 클 이. 마음씨가 넓고 큰 사람."

"아."

"홍이 네가 동명성왕님처럼 활도 잘 쐈으면 해서."

"고마워, 온달아."

비로소 이름다운 이름이 되었다며 홍이는 오랫동안 감격해했다.

10. 안시성

평강을 따라 안시성으로 이주하려는 백성들의 수는 점점 늘어났다. 낭비성 백성들이 이주하는 김에 평양성 주민 일부가 동행하겠다고 나서서였다. 그들은 대부분 자기 소유의 땅이 없는 백성들이었다. 먼 길을 가는 동안의 식량조차 부족한 빈곤한 사람도 있었다. 이 사람들의 배 삯과 끼니는 우마리가 나서서 해결해주었다. 평강이 우마리에게 말했다.

"고맙습니다."

"별말씀을요. 제가 오늘 이만큼 누리고 이렇듯 나누는 기쁨을 안 것은 다 공주님 덕분입니다요."

평강이 안시성으로 떠나가는 날, 영양왕은 평강을 배웅하러 나오지 않았다. 고구려의 대왕답지 않게 백성들 앞에서, 누이 평강 앞에서 눈물을 보이고 싶지 않아서였다. 영양왕 대신 강이식과 우마리가 떠나가는 평강을 배웅했다.

"이만 가보겠습니다."

평강이 강이식과 우마리에게 말했다.

"참, 노파심에서 두 분께 한 말씀 드리고 떠나겠습니다. 신라한테 복수하는 거보다 수나라가 먼저입니다. 제 부군의 복수보다 수나라를 더 신경 쓰시길 바랍니다."

우마리가 평강 앞에 무릎을 꿇자 평강이 얼른 우마리를 일으켰다.

"이러지 마십시오. 다시는 만나지 못할 사람처럼 왜 이러십니까. 조금 멀리 이사 가는 거 가지고."

마침내 평강이 온달모와 아들들과 함께 안시성으로 향하는 배에 올랐다. 뒤늦게 달려온 지아루가 떠나가는 배를 향하여 손을 흔들었다. 평강이 보이지 않을 때까지 그녀는 는 손을 흔들었다.

다들 저 멀리 바다 너머 약속의 땅을 보았다. 홍이도 그들과 함께 넓은 바다를 바라보았다. 섬 하나 보이지 않는 차가운 바다는 더 넓어보였다. 습기를 머금은 묵직한 바닷바람이 아니었더라도 그들은 온달의 최후를 생각해내었다. 그들이 쳐다보는 파도는 그들이 두고 온 온달의 복수심처럼 힘겹게 일렁이고 있었다. 온달과의 작별의 순간이 떠오른 홍이의 눈가가 축축해졌다. 홍이가 온권후에게 말하였다.

"성주님의 선친께선 생전에 이리 말씀을 하셨습니다. 전쟁이란 모름지기 여자처럼 해야 한다. 전투란 힘이 아니라 계책과 지혜로 하는 것이다. 그래서 전쟁의 신은 나 바보 온달 같은 남자가 아니라, 지혜로운 여성인 것이다."

"그럴 리가요, 전쟁의 신이 여자라구요?"

"그렇습니다. 그리고 외람되지만, 평강공주님처럼 보이지 않는 독을 지닌 여인이, 세상 사람들 모두가 용감하다고 여기는 온달장군님보다 더 무서운 법이라고 했습니다. 그렇게 말하고 환하게 웃었는데."

말을 마친 홍이가 눈물을 훔쳤다. 온달의 최후가 떠오르면 눈물이 났지만 온달의 미래가 바로 그의 곁에 있었다.

홍이가 본 미래를 평강도 보았다. 하지만 평강은 더 먼 미래를 보고 있었다. 평강이 보고 있는 미래는 노자의 소국과민小國寡民이었다. 그러한 평강에게도 한 가지 의구심이 있었다. 고구려가 중원의 나라들에게 연전연승을 거두고 있지만 불안감이 깔끔히 가시진 않았다. 평강이 홍이에게 고민을 터놓자 홍이가 말하였다.

"제가 공주님의 큰 뜻을 어찌 알겠습니까만, 예전에 병서에서 배우고 전장에서 경험한 것을 생각나는 대로 얼추 엮어서 말씀드리겠습니다. 싸우지 않고 이기는 것이 병법에서 최고인 것처럼, 외교에서 가장 큰 승리는 상대방이 전쟁을 일으키지 못하게 손을 써두는 것 아니겠습니까. 서토와의 전쟁에서 이백 년 이상 고구려가 계속 이기고 있지만 영원한 승자는 없습니다. 보름달이 초승달이 되니, 아마 작금의 고구려는 이에 대한 대비책이 필요한 듯싶습니다. 백전백승이란 허울일 뿐, 그 언젠가 그 누구의 실수라도 있다면 고구려 역시 지고 맙니다. 저마다 생각이 다르고 사람의 심지가 흔들리듯 영원한 승리는 장담하기 어렵습니다. 하지만 가장 큰 이유는 남쪽에 백제와 신라가 있어 우리 고구려의 힘이 분산되기 때문일 것입니다."

평강이 말하였다.

“우리 고구려에 내분이 없도록 하는 것이 첫째인 듯싶습니다. 우리 고구려가 없다면 그 누가 서쪽과 맞서겠습니까. 백제가요? 신라가요? 아닐 것입니다. 차라리 이 몸이 안시성에 뿌리를 내린 나무 한 그루가 되렵니다.”

“공주님답습니다요.”

홍이의 웃음소리가 바람결에 허공으로 흩어져갔다.

모두가 잠든 밤늦은 시각이었다. 달빛 아래 두 개의 그림자가 배 위에 모습을 드러냈다. 온달모와 검구월이었다. 온달모의 귀에 파도 소리와 바람 소리가 뒤섞여 들려왔다. 검구월이 바라보는 바다는 한낮의 파란 빛이 아니었다. 달빛에 반짝이는 물결이 그녀가 배를 타고 있다는 것을 알려주었다.

온달모는 더 이상 살아갈 자신이 없었다. 하나밖에 없는 아들을 다른 사람도 아닌 어머니인 그녀가 죽였는지도 몰랐다. 온달모가 바닷속으로 몸을 던지려 하였다. 그녀가 눈이 멀지 않았더라면 그 뜻을 이루었을 것이었다. 검구월이 투신하려는 온달모의 몸을 붙잡았다. 온달모와 검구월 사이에 실랑이가 벌어졌다. 선실 바깥에서 벌어진 소동에 다들 잠에서 깨어났다. 사람들이 몰려나와 온달모를 선실 안으로 데려갔다. 평강이 온달모에게 말하였다.

“지금 어머님께서 이리 가시면 아드님이 더욱 슬퍼하실 것입니다.”

온달모는 아들이 죽은 뒤 눈물이 말라버렸는지 더 이상 울지도 못했다. 그런 온달모를 평강이 오랫동안 안아주었다.

요하를 거슬러 올라간 배가 어느덧 양수梁水로 접어들었다. 뱃머리에 앉아있던 온권후가 제일 먼저 외쳤다.

"안시성! 안시성이 보인다!"

홍이가 흐뭇한 표정으로 미래의 희망 온권후를 바라보았다. 의형제 온달은 죽었으나 그의 후예 온권후가 있었다. 고구려의 아들 온달은 사라졌으나 고구려의 딸 평강이 있었다. 눈물을 머금고 아단성을 떠나왔지만 안시성이 있었다. 여기서는 웃음만을 만들 것이었다.

안시성에 도착해 성의 현황을 파악한 평강은 충격을 받았다. 안시성이 삼천 년이 넘는 역사를 자랑하는 이름난 곳이어서가 아니었다. 넓고 비옥한 땅에, 이처럼 살기 좋은 땅에 인구가 그토록 적은지 몰라서였다. 백성들이 안시성까지 따라오지 않았으면 오히려 난감했을 상황이었다. 평강은 그녀를 믿고 따라와 준 백성들에게 마음속 깊이 다시금 고마워했다.

평강은 맨 먼저 혼인을 하지 못하는 처녀와 총각 없도록 조치했다. 특별한 사유 없이 스무 살이 넘도록 혼인을 하지 않는 처녀와 총각이 있으면 관원들을 처벌하겠다고 엄포를 놓았다. 관원들에게 벌을 내리겠다고 하니 효과가 바로 나타났다. 관청에서 미혼인 백성들을 먼저 찾아 나섰다. 진대법으로 끼니를 해결해 주고 일자리를 만들어주니 가난해서 백성이 혼인을 올리지 못하는 일은 사라졌다.

그다음 평강은 백성들의 살림살이를 넉넉하게 해주고자 했다. 생활의 기본은 아무래도 농사였다. 안시성의 풍토와 기후로 봤을 때 콩이 제일 적합할 것 같았다. 콩은 거름을 주지 않은 거친 땅에서도 잘 자라는 편이었다. 농기구 없이 맨손으로 경작이 가능할 만큼 농법도 쉬웠다. 쌀겨처럼 번거롭게 껍질을 벗길 필요 없이 도리깨질 몇 번에 열매를 얻을 수 있었다.

콩은 된장, 간장을 만들 때 기본이 되는 재료였다. 두부를 만들어 먹을 수 있고 콩나물로도 먹을 수 있었다. 콩국수는 끼니를 거르기 쉬운 평민들의 점심과 새참으로 제격이었다. 안시성 일대의 광활한 토지가 점점 노랑콩, 흰콩, 파랑콩, 검정콩, 쥐눈이콩으로 덮여가는 동안 온달모의 시녀 검구월이 재혼을 했다. 밭을 장만해 콩을 기르고 이웃들과 함께 집을 새로 지었다. 해마다 풍성하게 익어가는 콩이 검구월의 마음을 풍요롭게 하였다.

검구월이 두부를 만들어 평강을 찾아갔다.

"드셔보십시오. 어찌 이리 고소한지."

"그러하구나. 고맙구나."

"그런데 말이옵니다. 공주님, 어찌 그리 백성들에게 잘해주십니까요?"

"내가 잘하는 거처럼 보이느냐?"

"그렇고 말구요."

잠시 뜸을 들인 후 평강이 말하였다.

"돌이켜보니 나는 아버지에게 좋은 딸이 아니었다. 어머니는 일찍 여의는 바람에 나는 어머니에겐 좋은 딸이 될 수조차 없었다."

"그, 그렇습지요."

"좋은 아내가 되고 싶었는데 때 이른 사별을 하고 말았다. 그때 내게 남은 건 좋은 어머니가 되는 거뿐이었다."

눈물을 글썽이는 검구월과 달리 평강은 담담해하였다.

"두 아들에게만큼은 좋은 어머니로 기억되고 싶었다. 그 아이들은 나보다 오래 살 테니. 그리고 나는 백성들한테 욕먹지 않은 왕족, 아니 그들의 이웃으로 남고 싶을 따름이었다."

"공주님, 진정 고맙사옵니다."

"고맙긴, 백성들도 나한텐 내 아들만큼 특별한 존재이다."

"그게 무슨 말씀이신지요? 미천한 백성들을 어찌 귀한 아드님들께 비하겠습니까요?"

"아니다. 첫째가 걱정이구나. 그 아인 자신을 특별한 존재라 생각하고 있으니."

"성주님은 특별한 존재잖습니까요?"

"공주의 아들로 태어났으니 굳이 따지자면 특별한 존재인 건 맞다. 하지만 그 아이 스스로 자기를 특별한 존재라 여기면 아니 된다. 신분은 그냥 얻은 것일 뿐이니 말이다. 스스로 노력해서 얻지 않은 건 온전히 그 사람의 것이 아니다."

"그래도, 공주님이시고 성주님이신데요."

"쓸데없이 이야기가 길어졌구나. 이럴 게 아니라 검구월아, 네 밭에 한번 가보자. 새로운 모양새의 콩이 생겨났는지."

농사는 기본이지만 평상시엔 이익이 그다지 많지 않았다. 평강은 상업과 임업, 과수원도 장려했다. 밭은 인삼, 도라지 같은 약재로 쓰는 작물을 기르고 사과, 흰배, 오리배, 황금복숭아 같은 유실수를 심었다. 나무도 사람만큼이나 서로 제각각이었다. 과일을 얻는 나무가 있고 커다란 선박을 만드는 데 쓸 나무도 있었다. 집 짓는 재목이 되는 나무가 있는가 하면 다른 나무들이 자라는 걸 훼방하는 욕심쟁이 나무도 있었다.

안시성 주민들은 산에서는 산사나무 열매와 뽕나무의 산누에를 얻었다. 산누에서 얻은 비단은 다른 비단보다 더 부드러워 값은 비싸도 귀족들과 부유층 사이에서 인기가 좋았다. 산사열매는 새콤하면서도 달달했다. 열매를 말려 떡에 넣기도 하고 차로 만들어 먹기에도 괜찮았다.

평강이 산사나무를 눈여겨본 건 그 약효 때문이었다. 산사자는 소화불량같이 내장에 탈이 났을 때 달여 먹으면 효과가 있었다. 산사열매는 질긴 고기를 삶을 때 넣으면 육질이 연해졌다. 훗날 안시성 사람들은 나이가 들어 치아가 점점 부실해지는 평강에게 산사자를 곧잘 선물했다.

평강은 아침식사는 가족과 때론 안시성 관원들과 함께했다. 점심은 백성들의 집을 찾아가 그들과 같이 먹었다. 안시성 안팎을 오가며 평강이 백성들에게 물었다.

"밥은 먹었느냐?"

시간이 흐르자 백성들이 평강에게 여쭈었다.

"공주님, 진지 드셨습니까?"

저녁엔 한 가족을 궁으로 초대해 같이 밥을 먹었다. 그 가족의 이름을 한 명 한 명 묻고 그들의 이야기를 들었다. 평강은 백성들에게 먼저 이야기하지 않았다. 식사시간 동안 그들이 하는 이야기에 귀를 기울여줬을 뿐이다.

안시성 성주는 평강의 아들 온권후였지만, 아직은 어린 그를 대신하여 평강이 정사를 돌봤다. 평강은 먼저 홍이를 비롯한 벼슬아치들의 신상필벌을 명확히 세워두었다. 그다음 다섯 가지 군사정책을 제시하고 이를 실행하였다. 상을 자주 내려 군사들의 사기를 북돋았고, 무기를 갖춰두어 늘 수선하게 하였다. 질 좋은 전마를 잘 조련해두었고 군량미를 넉넉히 확보해두었다. 마지막으로 오래된 성벽을 튼튼하게 보강하였다. 성벽을 보강할 때 반대한 사람이 적지 않았는데 이때 평강도, 그 어느 누구도 상상하지 못했다. 훗날 안시성이, 이 안시성의 성벽이 그토록 유명해지라는 것을.

평강이 덕망이 있다고 소문이 나자 인재들이 하나둘씩 찾아왔다. 그 인재들은 안시성을 더 살기 좋은 곳으로 만드는 데 기여했다. 그래서 사람들이 안시성으로 더 몰려들었다. 인구가 늘어나자 장사를 하는 사람들도 늘어났다.

안시성을 찾아온 장사치 가운데 반가운 손님이 있었다. 우마리였다. 평강이 우마리에게 말했다.

"마침 잘 오셨소. 어찌하면 상업을 더 활발히 이뤄지게 할지 요새는 그게 고민이오."

"어려운 일이면서도 어렵지 않은 일이옵니다."

"그게 무엇입니까?"

"세금입니다. 가게와 상인들에게서 거둬들이는 세금을 낮추는 겁니다."

우마리의 조언대로 평강은 세금을 낮춰 농사뿐만이 아니라 교역도 적극 권장하였다. 오래전부터 안시성은 교역에 유리한 곳이었다. 요동성과 건안성 등 큰 성들 사이에 자리한 데다 육로와 수운도 발달해있었다.

우마리의 두 번째 조언은 은자銀子였다. 은자는 밀이나 콩 같은 곡물처럼 상할 염려가 없었다. 비단과 솜처럼 부피가 크지도 않았다. 평강은 은산에서 나는 은으로 은자를 만들어 되도록 은자로 거래하게 하였다. 은자는 이웃한 성들과의 교역만이 아닌 다른 나라와의 교역마저 활발하게 하였다. 돌궐, 거란, 수나라 등 외국과의 교역이 늘어나자 안시성은 더더욱 부유해졌다. 이때까지만 해도 사람들은 평강이 안시성으로 이주한 것이 고구려에게 얼마나 다행스러운 선택이었는지 몰랐다. 평강조차 안시성의 미래, 그토록 빛나는 영광을 꿈에도 몰랐다.

*

시간은 멈추지 않아 무연했다. 안시성과 같은 하늘아래인 고구려의 시간도. 바다건너 이국의 시간도 흘러갔다. 고구려는 요서지역의 통치권을 놓고 지난 수세기 동안 다른 나라들과 경쟁을 했다. 이 요서와 흥안령산맥을 차지해야 대초원의 교역로를 지배할 수 있었다. 평강 때는 이 일대를 고구려가 장악하고 있었다.

군사적으로도 중요한 요서를 수나라는 호시탐탐 노렸다. 수나라는 먼저 고구려의 동맹국인 말갈, 돌궐, 거란을 회유했다. 말갈 추장 돌지계突地稽가 수나라에 투항한 사건에 고구려는 큰 충격을 받았다. 거란은 몰라도 친구 중의 친구 말갈의 배신은 좌시할 수 없었다.

수문제가 고구려가 수나라보다 인구가 많은지, 영토가 큰지, 요하가 황하보다 넓은지 묻는 국서를 영양왕에게 보내왔다. 고구려조정이 크게 요동치었다. 받아들이면 고구려가 제후국이 되는 셈이고 거부하면 전쟁이었다. 영양왕은 수나라와의 일전을 선택했다. 대모달 강이식이 임유관을 넘어 수나라를 기습 공격했다. 지난날의 평원왕과 온달처럼.

강이식은 수나라가 군수물자 보급기지로 쓸 수 있는 거점들을 파괴했다. 해가 바뀌자마자 강이식은 고구려군을 이끌고 적봉진과 임유관 일대를 점령해버렸다.

영양왕의 선제공격은 수문제의 자존심을 크게 건드렸다. 아들 양량楊諒을 대장군으로 삼아 삼십만 대군으로 수륙 양면으로 고구려를 공격하였다. 양량의 육군은 강이식의 고구려군에 패해 퇴각하고 말았다. 수나라 수군은 태제 고건무에게 열 가운데 여덟이나 아홉이 죽을 정도로 혼쭐이 났다.

수문제가 전쟁을 단념하자 고구려에 평화가 찾아왔다. 안시성에는 태학박사 이문진李文眞이 책 한 권을 가지고 찾아왔다. 영양왕이 평강에게 보내는 선물이라며. 평강이 이문진에게 물었다.

"신집이라, 무슨 책인가?"

"소신이 엮은 우리 고구려의 사서이옵니다."

"이걸 왜 나에게 주는 것인가?"

"공주님께서 이 책에 실렸기 때문이옵니다."

"뭐라고?"

평강이 책을 펼쳐보았다. 온달 열전 속에 그녀가 등장해있었고 그 기록은 온달의 죽음에서 끝나 있었다. 살아있는 평강을 더 이상 기록할 수는 없는 노릇이었다. 서서히 평강이 책을 덮었다. 입을 벙긋하며 평강이 이문진에게 말했다.

"이렇듯 역사서에까지 나와 그 사람의 일화를 써 놓았으니 재혼은 꿈도 꾸지 말라는 말씀이냐고, 돌아가거든 대왕께 여쭤보거라."

이문진이 어쩔 줄 몰라 하자 평강이 말했다.

"가서 오라버니께 평강공주는 이미 재혼했노라 전하거라. 우리 고구려와 아니, 이 안시성과 혼인했다고 전하거라."

"황공하옵니다. 하옵고 공주님께 드릴 게 한 가지가 더 있사옵니다."

평강 앞에서 이문진이 영양왕의 조서를 읽었다. 얼마 전 영양왕이 조정에서 공개적으로 신하들에게 선언한 조서였다.

"공주 평강은 국강상평강상호왕의 따님으로 일월의 후예이시라. 궁중에서 동궁의 누이로 태어나, 시와 글을 좋아하고 음악을 알았다. 지혜는 비할 사람이 없고, 말은 이치에 맞아 저절로 향기롭다. 어려서부터 용모는 홍산의 옥처럼 아름답고 품성은 개마산의 흑요석처럼 강강하도다.

공주는 지극히 고귀한 신분으로 온달에게 하가하여 마침내 그를 영웅의 반열에 올렸다. 하늘이 도우면 필부도 천하의 영웅이 되고 백성이 외면하면 천자도 외로운 필부가 되기 마련이니, 평강공주의 어짊과 사랑이 하늘이 비를 내리고 땅이 초목을 기르는 것 같았다.

부마의 지위로도 온달은 몸소 칼을 들었고 맨 앞에서 말을 달렸다. 공주 평강과 부마 온달은 그 지혜와 용기마저 서로 닮아 한 쌍의 거문고처럼 잘 어울렸다. 부마도위와 사별한 후 공주 평강은 그 높은 뜻과 깊은 마음을 안시성에 두었다. 세상 남자는 등에 짐을 지고 여자는 아이를 업고 평강공주를 따랐다.

無武의 참뜻을 깨달아, 안시성을 평안으로 다스리니 그 땅은 날이 갈수록 비옥해지고 굳건해졌다. 부군 온달이 주무제 우문씨를 사지로 몰아냈듯 평강공주 또한 수나라황제 양씨가 부끄러워 고개를 들지 못하게 하였다. 이웃 나라는 우리 고구려에 스스로 우호를 맹세하고 복속하였다.

여자로서의 도가 밝고도 밝으면, 어머니로서의 덕이 아름답고 아름답다면 어찌 그 이름이 길이길이 전해지지 않을 것인가. 천년의 거목이 되고 만년의 대해가 될 것이다. 이에 공주 평강을 신집에 기록하여 후세에 영원토록 그 이름을 전하노라."

평강이 이문진에게 말하였다.

"마치 내 묘지명을 읽은 거 같구나. 오라버니께서 나더러 지금당장 죽으라고 하시는 건 아닐 터이고 앞으로 이렇게 살라는 말씀이겠구나. 네가 이 조서의 초안을 잡았느냐?"

"그러하옵니다."

"네 이름이 이문진이라 했느냐? 고향은 어디더냐?"

"태산 아래 제나라이옵니다. 이 조서에 담긴 내용은 어렸을 적에 태산에 올라 품은 제 꿈이옵니다. 공주님께 바치는 저의 바람이기도 하옵니다."

평강이 지그시 이문진을 쳐다보자 그가 말하였다.

"강녕하시옵소서. 그게 대왕을 위하는 일이옵고 안시성과 고구려를 위하는 길이옵니다."

"고맙구나. 가거든 오라버니께 내 안부를 전해다오. 안시성은 끄떡없으니 걱정하지 마시라고."

평강과 백성들의 바람과 달리 평화는 오래가지 못하였다. 무려 113만 수나라 대군이 안시성이 자리한 요동으로 쳐들어오기 시작하였다. 막리지 을지문덕이 화급히 안시성을 찾아왔다. 오랜 시간 동안 을지문덕은 평강을 설득해야 했다. 평강이 을지문덕에게 말했다.

"막리지, 어찌 이리 무모한 작전을 다 세우게 되었습니까? 우리 안시성의 상황을 알고, 우리 안시성이 비축해둔 군량미를 믿고 벌이는 작전입니까?"

을지문덕이 고개를 끄덕이었다.

"송구하지만, 맞습니다. 한두 해 흉년 따위엔 끄떡하지 않을 안시성을 믿기에, 공주님이 계시기에 가능한 구상이었습니다."

평강의 얼굴이 일그러졌다.

"아무리 그래도 그렇지요. 그 청야전술이란 게 투전판에서 노름하는 거보다 못하잖습니까."

전쟁이 장기화되면 승패를 가르는 무기는 창칼이 아니라 매일 먹는 밥이었다. 전쟁에서 더 많은 사람들을 죽이는 것은 창칼이 아니라 식량이었다. 이 사실을 평강도 알고 을지문덕도 알고 홍이도 모르지 않았다. 홍이가 나서서 을지문덕을 거들었다.

"공주님, 나라의 명운이 걸린 일전이옵니다."

평강은 전쟁이 최선이라 생각하지 않았다. 안시성이 싸울 힘이 없어서가 아니었다. 낭군 온달이 전장에서 죽어서도 아니었다. 작은 성공을 거둔 사람일수록 큰 성공을 거둘 가능성이 높았다. 국가 간의 전쟁도 마찬가지였다. 전쟁에서 많이 이겨본 국가가 더 잘 이길 것이었다.

평강이 봤을 때 세상일의 성패는 운이나 우연이 적잖이 영향을 미쳤다. 인간의 상대가 상황에 따라 적이 아군이 되고 아군이 적이 되기도 하는 인간이기 때문이었다. 전쟁은 이러한 운이나 우연의 결정판이었다. 단기간에 부귀와 목숨이 오락가락하는 속성 탓인지 전쟁에서는 변수가 끊임없이 나왔다.

"막리지, 저는 말입니다."

평강은 서쪽 나라들과의 지난 수백 년 동안의 명분 없는 전쟁 자체를 내켜하지 않았다. 그 전쟁은 서토의 지배층 선비족과 고구려 왕족 간의 자존심 싸움이었다. 누가 더 잘났는지, 어느 가문이 더 우위에 있는지. 전쟁 통에 죽어나는 것은 백성들이었다. 그 어느 누구에게 물어봐도, 전시에 가장 큰 피해를 입는 건 여자와 어린애들이었다. 길게 평강이 한숨을 내쉬었다. 침입자들은 일단 물리쳐야 했다. 마침내 평강이 고개를 주억거렸다. 을지문덕이 말했다.

"고맙사옵니다. 하온데 공주님, 공주님께서 어찌해서 저 한강유역을 내버려두고 이곳 안시성으로 오셨는지, 저는 그게 의아합니다. 마치 오늘이 있으리라는 것을 아신 듯 말입니다."

"그게 궁금하셨습니까?"

평강이 을지문덕의 눈을 오랫동안 쳐다보았다.

"대모달께서도 아시다시피, 백제와 신라는 어쨌든 우리 고구려와 더 가까운 겨레 아니겠습니까. 지난날 부여와 고구려가 하나가 됐듯 그들도 훗날 우리와 하나가 될 것입니다. 고구려 왕족인 내가 이런 말을 해도 되는지 모르겠지만, 굳이 싸워야 한다면 백제와 신라보다는 서쪽 중원의 나라들과 싸워 이기는 게 낫다고 생각했습니다. 우리 고구려가 저들을 완전히 굴복시키면 그 언젠가 백제와 신라가 스스로 항복할 날이 올지도 모르지요. 너무 순진한 생각인지는 모르겠지만, 언젠가는 하나로 통합되겠지요."

평강이 백성들에게 청야전술을 설파하자 을지문덕의 군령을 순순히 따르지 않던 백성들이 움직이기 시작하였다. 백성들이 한마음이 되어 요동 너른 들에 불을 놓아 곡식을 태웠다. 한창 자라난 곡물은 지금부터는 농부의 손길이 닿지 않아도 열매가 맺힐 터였다. 아까운 곡물이 연기 속으로 사라져가는 가운데 백성들이 안시성 안으로 피신하였다.

전쟁은 요동성 방어 전투, 고건무의 평양성 전투, 그리고 을지문덕의 살수대첩으로 고구려의 완승으로 끝났다. 수양제가 패퇴하자마자 평강은 안시성에 비축해두었던 군량미를 풀었다. 그 식량으로 요동 일대 수백만 백성들을 먹여 살렸다. 적을 죽인 것은 을지문덕과 고건무였지만 고구려군과 백성들을 살린 것은 평강이었다. 전공보다 더한 평강의 그 전공을 그 누구도 부인하지 못하였다.

이 승리로 고구려는 만리장성 북동쪽 일대를 온전히 장악하여 영토가 동서로 육천 리에 이르렀다. 흥안령산맥 너머 돌궐의 대초원까지 고구려의 힘이 뻗쳤다. 광개토태왕도 해내지 못한 쾌거였다. 이 영광의 주역은 영양왕이었고 그의 곁에는 하나로 뭉친 백성들이 있었다. 그리고 그 뒤엔 묵묵히 이바지한 평강이 있었다.

고구려의 유성과 요동성 그리고 안시성이 외국인들로 붐비기 시작했다. 돌궐, 수나라, 거란, 실위 등 각국 상인 수만 명이 거래하는 시장이 열릴 정도로 큰 번영을 누렸다. 수나라 장사치들은 자기 나라에서 유행하는 무향요동랑사가無向遙東浪死歌를 고구려 상인들에게 알려주었다. 고구려 원정을 가지 말고 백성들의 이상국을 건설하자는 저항의 노래였다.

장백산 지세랑이 붉은 비단 등거리 차려입으니
긴 창은 하늘을 두 동강 내고 둥근 칼은 해처럼 빛난다.
산에서는 노루 사슴 마을에선 소 양 잡아먹고 잘 사는데
수나라 관군이 칼 뽑아들고 우리를 소탕하려 든다.
예서 머리 잘리고 몸 상하는 거나 고구려에서 죽는 거나 매한가지다.

長白山前知世郎 純著紅羅綿背襠.
長槊侵天半 輪刀耀日光.
上山吃獐鹿 下山吃牛羊.
忽聞官軍至 提刀向前盪.
譬如遼東死 斬頭何所傷.

11. 어머니와 아들

고구려가 한시름을 덜어냈어도 평강은 그러하지 못했다. 아들 온권후 탓이었다. 어느덧 서른 줄이었어도 온권후는 안중에 그밖에 없는 어른이었다. 그는 고구려와 수나라와의 전쟁 틈에 허리띠를 졸라매야 하는 백성들에게 안시성이 비축해둔 군량미 일부를 빼내 비싼 값에 팔았다. 어머니 평강 몰래 저지른 일이었다. 은산에서 채굴되는 금은 덕에 온권후는 이미 남부럽지 않은 부자였는데도 그는 욕심을 부렸다.

평강이 느낀 더 심각한 문제는 온권후가 전쟁영웅 온달의 아들답지 않게 전장으로 나갈 기미를 전혀 보이지 않는 다는 것이었다. 하지만 천하의 평강도 그 어느 누구도 온권후에게 참전하라고 내대지 못했다. 그가 어린 나이에 아버지 온달의 전사를 지켜봐야 했던 사연을 지니어서였다. 평강의 고민은 깊어갔다. 저러한 상태의 온권후에게 성주의 권한을 통째로 넘겨줄 순 없었다. 강강했어도 평강도 이제 쉰 나이였다.

평화가 안착하기 전에 수양제가 다시금 군사를 일으켰다. 수나라와의 전쟁에 대비하느라 골치가 아픈 터에 안시성에서 큰 사건이 발생했다. 온권후가 친구 도이기와 다른 귀족의 자제 몇몇을 군역에서 제외해준 사건이었다. 이 사건은 뇌물의 액수가 중요한 것이 아니었다.

진상을 파악한 평강은 부들부들 떨었다. 진짜 적은 멀리 있는 수나라군이 아니었고 성 안에 있는 동족이었다. 게다가 그 사람은 공주 평강의 아들이었고 고구려왕의 조카였다. 온권후를 이대로 내버려두면 백성들이 성 바깥에서 적과 싸우지 않고 성 안에서 자멸할 것이었다. 작심하고 평강이 온권후를 찾아 불렀다.

"네 죄를 씻을 방법은 오직 하나밖에 없다. 네가 군역을 면해준 자들을 데리고 전장으로 나아가라. 가서 왕족과 귀족이 솔선수범하는 모습을 보여 백성들에게 지은 죄를 씻으라. 너는 내 아들이라는 이유와 아버지가 세웠던 공으로 성주 자리에 올랐다. 이에 대한 보답을 이 나라와 백성들에게 해야 하지 않겠느냐. 네가 전장으로 나가지 않으면 그 누가 나가겠는가. 고구려의 공주인 내가 어찌 백성들의 자식들에게만 싸우라고 할 수 있겠느냐. 누구를 위해서? 나를 위해서냐? 너를 위해서냐? 아니다, 백성들은 그들을 위해서 싸우는 것이다. 백성들은 그 스스로를 지키고 그들이 가진 재산을 지키고 그들 가족의 생명을 지키는 것이다. 우두머리인 네가 팔짱만 끼고 있으면 어느 백성이 나서서 우리 고구려를 지키겠느냐. 명심하거라. 참전하는 모습을 보이는 것만으로는 부족하다. 네가 지은 죄보다 더 큰 전공을 세워라."

온권후는 대답하지 못했다. 그는 아버지의 죽음을 잊지 못하고 있었다.

하지만 그는 아버지가 남긴 유언, 그 복수는 잊고 살았다. 전장은 그가 있어야 할 곳이 아닌 듯싶었다. 전쟁이 싫었다. 전쟁을 벌이는 사람들을 이해하지 못하는 그는 전쟁을 싫어하였다.

평강이 하는 일에 여태 참견한 적 없던 홍이가 그녀를 만류하고 나섰다.

"지난날 우리 고구려는 온달님을 잃었습니다. 공주님, 그와 같은 슬픔은 한 번으로 족하옵니다."

홍이뿐만이 아니었다. 다른 신하들과 장군들도 그들의 성주 온권후가 전쟁터로 나가는 건 불가하다고 평강에게 청하였다. 신하들이 이러하니 백성들도 만류할 게 틀림없었다. 평강이 한숨을 내쉬었다.

"나는 네 아버지의 복수를 하지 말라고 했을 뿐이다. 우리 고구려를 침략한 적들과 싸우지 말라 한 게 아니다. 내가 죽어 네 아버지를 뵐 면목이 없다. 너는 어떠하냐? 네가 무슨 낯으로 아버지를 뵐 수 있단 말이더냐?

온권후는 묵묵부답이었다. 평강이 말했다.

"지금이라도 남쪽으로 내려가 아버지의 복수를 하겠느냐? 이도저도 아니라면 북쪽 얼음땅으로 도망가서 혼자 살아라. 그것은 내가 말리지 않겠다."

고개를 숙인 채 온권후가 자리에서 물러났다. 대답을 하지 않고서였다. 아들의 뒷모습으로부터 평강은 시선을 거두었다.

온달이 죽은 뒤 평강은 생각이 바뀌었다. 그녀는 부군 온달이 하고자 하는 일을 묵묵히 후원하던 지난날의 평강이 아니었다. 그녀는 노자의 천지불인天地不仁을 비웃기라도 하듯 아들의 삶과 백성들의 생활에 개입해왔다.

그 개입은 그녀의 아들과 백성들에게 더 나은 여건을 조성해주는 일이었다. 평강은 구중궁궐 안에 틀어박혀 뭇 백성들을 평생 대면조차 하지 않은 수많은 군주들과 달랐다. 그녀는 백성들이 힘겨워하는 한겨울 추위와 이른 봄의 허기를 잊지 않았다.

안시성은 특히 겨울이 길었다. 칼바람과 눈보라가 몰아치는 그 오랜 겨울을 탈 없이 지내려면 미리미리 준비를 해둬야 했다. 가난뱅이라고 해서 먹고 싶고 입고 싶은 게 없는 것이 아니었다. 가난한 백성들이 굶주리지 않게 하고 힘없는 백성들이 무시당하지 않게 하고, 튼실한 암소와 군마의 처지보다 못한 노비들을 최대한 배려했다. 평강이 바라는 이상국은 되도록 많은 백성들이 사람대접 받고 골고루 배불리 먹는 나라였다.

도이기가 온권후에게 말했다.

"성주님, 제가 보기엔 요동성보다 이 안시성이 더 위험합니다."

"왜?"

"공주님의 진노를 피하지 못할 테니 말입니다."

온권후가 고개를 주억거리는 동안 도이기가 말했다.

"제가 요동성까지 모실 테니 저랑 같이 가시지요. 가서 적당히 싸우는 척만 하면 되지 않겠습니까."

밤늦게 온권후는 친구 도이기와 함께 백여 명의 안시성 군사를 이끌고 요동성으로 갔다. 그는 수천수만의 군사는 통솔할 자신이 없었다.

요동성으로 달려간 온권후는 세인들의 예상과 달리 용감하게 싸웠다. 처음부터 그가 용감하게 싸운 것은 아니었다. 온권후는 그를 주시하는 사람들의 시선을 온몸으로 느꼈다. 영웅 온달의 아들이 겁이 난다고 해서 항상 군사들 뒤에 숨어있을 수만은 없었다.

처음에 그는 적에게서 멀찌감치 떨어진 곳에서 적을 향하여 활시위를 당길 뿐이었다. 시간이 가며 창을 던져봤고 나중엔 칼을 들었다. 조금 익숙해지자 전쟁터도 사람이 사는 곳이라는 게 느껴졌다. 그리고 그의 주위엔 항상 제 목숨을 걸고서라도 그를 지켜줄 안시성군사들이 있었다. 밥도 잘 먹고 가끔 술도 마시고 잠도 푹 잤다.

어느 날 온권후는 자신감이 너무 지나쳤다. 적진에 근접하는 바람에 온권후는 그가 대동한 수십여 병사들과 함께 퇴로가 막히고 말았다. 최후를 직감한 순간 문뜩 그는 더 살고 싶어졌다. 억울했다. 이대로 허망하게 죽고 싶지 않았다. 온권후가 말했다.

"다들 잠시 내 말을 들어봐라. 이 전쟁과 전장은 내 뜻이 아니었다. 나는 이대로 죽고 싶지 않다. 항복하면 수양제는 내게 안시성 성주보다 더 높은 벼슬을 내릴 것이다. 너희들의 목숨은 내가 책임질 테니 항복할 사람은 나를 따르라."

온권후가 항복하겠다고 하자 작은 동요가 일었다. 온권후를 따라 항복하겠다는 고구려군이 하나둘 생기더니 여남은 명이 되었다. 온권후가 그의 친구 도이기를 쳐다보았다. 도이기는 온권후처럼 전장에 나가기 싫어 그에게 뇌물을 준 동지였다. 땅바닥에 칼을 툭 던지고 도이기가 온권후를 향해 다가갔다. 온권후에게 근접한 뒤 단검으로 그의 목을 찔렀다. 깜짝 놀란 고구려군이 온권후 주변으로 모여들었다. 그는 숨이 조금 붙어있었다. 온권후가 도이기에게 물었다.

"왜? 네가, 왜 나를?"

"성주님, 전장으로 나아가 싸우기 싫은 거랑 적에게 항복하는 건 다릅니다. 성주님은 우리들 마음속의 영웅, 온달장군님의 후예입니다. 저는 적에게 항복할 수 있어도 성주님은 항복할 수 없습니다. 여기 있는 다른 사람들도 성주님이 부친의 명예를 더럽히는 꼴은 차마 못 볼 겁니다."

온권후가 탄식했다.

"아, 죽어도 싸구나. 여태 그걸 몰랐으니."

눈물을 흘리며 도이기가 말했다.

"지난날 공주님의 은혜로 성주님을 만나 그동안 행복하게 살았습니다. 저는 더 이상 미련이 없습니다. 죄송합니다."

온권후가 말했다.

"아니다. 고맙다. 네가 진정 내 벗이다. 이 온권후가 죽어 아버지와 어머니의 얼굴을 다시 볼 수 있게 해줬구나. 고맙다."

온권후가 눈을 감았다. 그의 어머니 평강은 살아있는 신화나 다름없었다. 아버지 온달은 고구려의 전쟁영웅으로 추앙받는 인물이었다. 평강과 온달이 세운 업적을 뛰어넘는다는 것은 애초부터 불가능한 것이었는지도 모른다. 온권후가 아닌 그 누구였을지라도. 그 부모의 그림자에서 벗어나지 못하는 사람은 늘 있어왔다. 눈을 감을 때까지도. 도이기가 고구려군에게 말했다.

"너희들 모두 보았을 것이다. 우리들의 영웅 온달장군의 아들, 안시성 성주 온권후님은 적과 싸우다 방금 장렬히 전사하셨다. 무슨 말인지 다들 알겠느냐?"

"예!"

큰소리로 군사들이 대답하였다. 온권후의 죽음은 온달의 아들다워야 했다. 게다가 그는 현 고구려태왕의 조카였다. 이렇듯 주요한 인물이 적에게 항복한다면, 그것은 국가의 명운을 좌우할지도 모를 큰 사건이었다. 도이기가 온권후의 시체를 말 등에 싣고 끈으로 동여맸다. 그가 양인수梁仁壽라는 고구려군에게 말했다.

"네 임무는 성주님을 댁까지 모셔다드리는 것이다. 안시성에 계신 평강공주님께."

도이기가 나머지 고구려군사들에게 말했다.

"자, 적의 포위망을 한번 뚫어보자. 운이 따르면 집으로 돌아갈 테고 아니면 저 하늘에서 가족과의 재회를 기다리자."

도이기를 비롯한 안시성군이 퇴로를 열다가 죽어가는 동안 온권후의 시신은 요동성으로 돌아왔다. 온권후의 시신을 땅바닥에 내려놓고 양인수가 요동성 사람들에게 소리 높여 외쳤다.

"온권후 안시성 성주께서 수나라군과 싸우다 전사하셨소."

"뭐라고!"

평강의 아들이 전사했다는 보고를 받고 요동성 성주가 맨발로 뛰어나왔다. 그의 얼굴은 당황하는 빛이 역력했다. 온권후는 영웅 온달의 아들이었고 현 고구려태왕의 조카였다. 요동성 백성들이 온권후의 죽음을 깊이 애도했다.

“아이고, 우리 공주님 불쌍해서 어쩌나.”

“수나라 놈들아, 너희도 죽고 나도 죽자.”

온권후가 죽자 요동성 성주는 호된 질책을 각오해야만 했다. 다른 사람도 아닌 평강공주의 아들이 전사했다. 온달의 아들이 다른 곳이 아닌 바로 이곳 요동성에서 피를 흘리고 죽은 것이었다. 온권후가 흘린 피는 곧 온달의 피였으니 온달이 두 번 죽은 것이나 매한가지였다. 요동성 군사들과 백성들의 각오도 남달라졌다. 창칼을 들 수 있고 활을 쏠 수 있는 모든 요동성 사람들이 적과 맞서 싸우고자 하였다.

“네놈들이 감히!”

“예가 네놈들 무덤이 될 것이다. 이놈들!”

매일같이 수나라군과 요동성 성민 사이에 처절한 공방전이 펼쳐졌다. 요성성 주민들은 평강과 온달을 떠올리며 싸웠다. 그러던 중 요동성 공략을 지휘하던 병부시랑 곡사정斛斯政이 고구려에 투항하는 엄청난 사건이 벌어졌다. 이 사건을 계기로 요동성은 사기가 더 올랐다. 요동성은 수나라군이 백 겹으로 포위하고 한 달 넘게 공격을 가했는데도 끄떡하지 않았다.

*

아들이 전사했다는 비보에 평강은 눈물을 보이지 않고 그 운명을 담담히 받아들였다. 그런 평강을 위해 안시성 주민들도 고구려 백성들도 울지 않았다. 평강을 대면하지 않고서도 백성들은 느낄 수 있었고 다들 알았다. 그들의 공주 평강이 원하는 것이 무엇인지, 그녀가 바라는 세상이 어떠한 세상인지를.

전쟁이 끝나자 고구려 사람들은 요동에서 죽은 수나라군 시체로 해골탑을 쌓았다. 수만 구의 시체를 요동 들녘 십여 군데에 쌓아올렸다. 안시성에서 가장 가까이에 세운 해골탑 근처에서 온권후의 장례식과 위령제를 거행했다. 이 장례식은 영양왕이 참석하였다. 차기 고구려왕 고건무를 비롯한 왕족들과 을지문덕 등 숱한 벼슬아치들도 조문하였다. 평강이 문상을 온 사람들에게 말했다.

"어찌 멀리 예까지 오셨습니까? 이번 전쟁에 제 아들만 죽은 것도 아닌데."

영양왕이 평강에게 말했다.

"미안하구나."

"쳐들어온 적을 막지 않을 순 없는 노릇 아니겠습니까. 사전에 전쟁을 예방한다면 모를까. 그리고 이미 생사가 결정되었으니 상심하지 마십시오."

평강은 한동안 고심했던 그녀의 결심을 세상에 알렸다.

"오늘 같이 슬픈 날, 제가 둘째왕자님을 비롯한 여기 계시는 분들께 기쁜 소식 한 가지를 전하겠습니다."

평강은 아버지 평원왕이 손자에게 하사한 고씨 성을 버리고 양씨 성을 사용하겠다고 선언했다.

안시성 곁을 흐르는 강의 이름은 양수梁水였다. 이 양수 일대에 사는 고구려인을 양맥이라 불렀는데 이 사람들은 양梁을 성씨로 곧잘 사용했다. 평강이 양씨 성을 사용한 것은 타지에서 온 평강 일족이 그들 양맥과 하나임을 선포하는 것이기도 했다. 고씨 성을 사용하지 않겠다는 것은 고구려 왕위 계승에 개입하지 않겠다는 선언이었다.

차기 왕위를 노리는 고건무는 흡족한 표정이었다.

"평강 누이, 잘 생각하셨습니다. 누이가 평양성 일에 신경을 쓰지 않겠다고 했으니 저도 안시성 일엔 절대 관여하지 않겠습니다. 차기 안시성 성주가 누이의 둘째 아들 양권명이라는 사실은 제가 살아있는 한 변치 않을 겁니다. 이 아우가 고구려인으로서 약조 드립니다."

세인들의 시선은 평강 옆에 서 있는 그녀의 둘째 아들 양권명에게 쏠렸다. 평강의 눈길도 마찬가지였다. 평강의 희망은 새로이 안시성 성주가 된 둘째 아들이었다. 평강은 이 둘째는 첫째와는 다르게 키우고 싶었다. 온권후가 고구려인답지 않게 저리 나약했던 것은 그녀의 아버지 평원왕이 온권후를 애지중지 키운 탓도 있다고 생각했다.

평강은 둘째 아들이 대초원에서 뛰노는 말처럼 씩씩하게 자라도록 했다. 첫째와 달리 둘째 양권명은 궁 안에 머무는 시간보다 평민들과 어울리는 시간이 더 많았다. 또래 아이들과 여름에는 냇가에서 물장구를 쳤고, 겨울이면 산에서 미끄럼을 타고 놀았다. 주변사람들에게 말은 안 했지만 평강은 걱정이 있었다. 둘째는 맏아들과 달리 병약했다.

평강의 둘째 아들은 외국의 밀정들이 득실거리는 안시성 밖으로 나돌아 다녔지만 그를 따라다니며 지킬 호위무사는 필요 없었다. 그의 곁에는 무사들보다 무시무시한 보호자가 곁에 있었다. 평강이라는 이름의 후광이었다.

아들의 장례식이 끝난 뒤 평강이 어느 날 두 며느리와 아들과 마주하였다. 가족들 앞에서 평강이 그녀의 속내를 터놓았다.

“너희들에게 말하고 싶은 게 있구나. 나는 맏며느리에게 기회를 주고자 한다.”

맏며느리가 말하였다.

“어머님, 무슨 기회를 말씀하신 것이온지요?”

“너희들도 알다시피 나는 그 사람이 비명에 간 다음 지금까지 혼자 살았다. 이제 와서 그 시간을 후회하는 건 아니지만 나는 첫째 며늘아기가 나처럼 홀로 여생을 보내지 않았으면 싶구나.”

“하오나.”

“반드시 재혼을 하라는 게 아니다. 네가 그 누군가와 혼인하고 싶으면, 내 눈치를 살피지 말고 언제든 하라는 것이다. 알겠느냐?”

평강은 맏며느리가 재혼을 할 수 있도록 운신의 여지를 주었고 오래지 않아 그녀는 재혼을 하였다. 재혼이 법으로 금지돼 있지는 않았지만 왕족의 혼사는 정치적 결정이기 쉬운 탓에 그들의 재혼에도 제약이 따르기 마련이었다. 맏며느리의 새 혼인을 평강은 기꺼이 축원해주었다.

평강은 수나라군 포로들에도 살아갈 집과 일굴 땅을 나누어주었다. 이 소문을 듣고 따라지들이 안시성으로 많이 몰려들고 있었다. 일단의 부랑아들이 안시성으로 향하던 도중이었다. 먼 길을 걸어온 그들은 배가 고팠다. 물로 채운 배에 허기가 다시 밀려왔다. 그들은 일단 나무 아래에서 좀 쉬어가기로 했다.

"아유, 배고파. 소리까지 냅다 질렀더니 배가 더 고프네."

이들의 배에서 나는 꼬르륵 소리가 그들을 향해 다가가는 양권명의 귀에도 들렸다. 양권명이 부랑아들과 어울리는 사이 안시성 안에서 작은 소란이 일었다.

"공주님, 큰일났습니다. 말이 사라졌습니다."

평강이 타고 다니는 말이 사라졌다는 전언에 이어, 심지어 그 말을 누군가 잡아먹는 거 같다는 소리까지 들려왔다. 평강이 말을 타고 서둘러 현장으로 달려갔다.

평강의 눈에 부랑아들과 어울려 말고기를 먹고 있는 아들 양권명의 모습이 들어왔다. 평강이 양권명에게 말했다.

"이게 도대체 어떻게 된 일이냐?"

허겁지겁 배를 채우던 부랑아들은 차림새로 보아 이 귀부인이 말 주인일 것이라 짐작했다. 입안에 있던 고기를 꿀꺽 삼키고 바짝 긴장했다. 그런데 그들을 기겁하게 할 일이 벌어졌다.

"어머니."

그들과 어울리던 소년의 입에서 튀어나온 말이었다. 부랑아들은 너무 놀라 엎드리지도 못하고 멍하니 소년과 그 어머니란 여인을 바라보았다. 부랑아들이 눈치만 살피니 평강을 따라온 관원들과 병사들이 호통을 쳤다.

"이놈들아, 예를 갖춰라. 공주님이시다."

"공주?"

그들이 배를 곯아가면서 힘겹게 찾아온 곳이 안시성이었다. 안시성의 주인이 고구려의 공주 평강이라 하였다. 그렇다면 바로 이 여인이 그 어머니처럼 자애로우면서, 고구려의 독초 각시투구꽃처럼 매섭다는 평강이었다. 오라버니 고구려왕을 도와 수양제의 백만 대군을 물리친 그 여걸이 지금 그들의 눈앞에 서 있는 것이었다. 게다가 들리는 소문에 의하면 이 공주의 아들이 수나라와의 전쟁에서 전사했다고 했다. 이러한 사연을 지닌 고구려 공주가 지금 그녀가 아끼던 말을 맛나게 먹어치운 그들을 쳐다보고 있었다. 한가하게 떨고 있을 시간이 없었다. 부랑아들은 사태를 눈치채고 얼른 땅바닥에 엎드렸다.

"공주님, 살려주십시오."

"저희들은 정말 몰랐습니다. 저희들이 알면서 어찌 이런 짓을 저지르겠습니까? 보십시오. 저희들은 멀쩡합니다요. 미치지도 않은 저희가 어떻게 감히 공주님의 말을 잡아먹겠습니까? 이 녀석이, 아니, 아드님이 그랬습니다. 그러셨습니다요."

부랑아들이 울고불고 난리를 치자 양권명이 말했다.

"어머니, 이들의 말은 사실입니다. 제가 주동해 저 말을 잡았습니다."

"무슨 까닭으로 그리했느냐?"

"이 사람들이 하도 배가 고프다기에 제가 말고기라도 먹을 거냐고 물었습니다. 이들은 말고기를 먹겠다고 하였습니다. 수나라 사람들은 말고기를 즐겨 먹지 않으니 정말 굶주린 거라 여겼습니다. 그래서 소자는 비록 어머님이 타고 다니는 말이지만, 이 말을 잡아 오늘 하루만이라도 이 사람들의 배를 든든히 채워줘야겠다고 생각했습니다."

평강이 미소를 지었다.

"제 살코기로 죽어가는 사람을 살렸으니, 군마가 되어 사람을 죽이는 데 쓰이는 거보다 나을 것이다. 그래, 제아무리 천리마라 할지라도 말보다는 사람이 먼저다."

평강은 가만히 있지 않았다. 최고의 안주에 술이 빠질 수 없다며 최고급 술까지 곁들여주었다. 부랑아들은 평강 모자의 너그러움에 하루 종일 눈물을 흘렸다. 평강이 그들에게 말하였다.

"울지 말고 웃어라. 잘못하면 체한다. 체하면 벌을 내릴 것이니 웃으며 천천히 먹어라."

애마의 죽음을 평강은 한바탕 웃음으로 넘기고 떠돌이들에게도 안시성에서 살아갈 터전을 마련해주었다. 평강은 한때 거지였던 온달 때문에 굶주림이 무엇인지 알았다. 사흘을 굶은 인간은 그저 배고픔만을 느끼는 한 마리 짐승일 뿐이었다.

안시성으로 오던 수나라군 포로들이 굶주린 건 청야전술 탓이었다. 그 무지막지한 전술로 풍요로웠던 요동의 들판 곳곳이 황폐해졌다. 안시성 안팎을 돌아다닐 때 평강은 백성들에게 꼭 물어보았다. 밥은 먹었냐고. 밥을 먹었다는 대답이 즉시 나오지 않으면 평강은 그 끼니를 챙겨주었다. 평강이 이렇듯 백성의 끼니까지 챙겨주니 백성들이 서로서로 식사는 했냐고 물었다.

"밥 먹었어? 안 먹었으면 두부에 간장 찍어 한 술 뜨고 가!"

안시성을 찾았던 나그네들도 처음 본 안시성 사람들이 건넨 그 말 한 마디를 잊지 못했다. 오랜 세월이 흘러도 밥은 먹었냐는 서민들의 정겨운 인사는 사라지지 않았다.

안시성은 사람들이 서 있는 땅에 실재하고 있는 낙원이었다. 있는지 없는지도 모르는 무릉도원까지 갈 필요가 없었다. 부랑아들은 안시성에서 누리는 이 태평이 온 세상에 퍼지도록 노래했다. 그 떠돌이 수나라군 포로였던 사람들이 '요임금의 봄' 노래를 그 누구보다 즐겁게 부르며 살았다.

눈부신 황금빛 얼굴 그 분
구슬채찍 손에 들고 귀신 부리시네.
경쾌한 발걸음 느린 손짓 우아하게 춤추시니
제요帝堯의 봄 이루는 붉은 봉황이시네.

黃金面色是其人
手抱珠鞭役鬼神
疾步徐趨呈雅舞
宛如丹鳳舞堯春

고구려는 엄한 법으로 유명한 법치국가였다. 평강은 이 법을 서민들 위주로 탄력적으로 운용하였다. 그녀는 동일한 범죄라면 귀족과 부자에게 평민과 가난한 사람보다 중벌을 내렸다.

법과 권력은 상처받기 쉬운 인간을 위한 피난처 같았다. 평강이 보기에 가난한 서민들은 그 피난처가 가까이 없었다. 권력 없는 평민들에게 법은 안전한 피난처도 아니었다. 평강은 다른 이의 가슴, 특히 약자의 가슴을 아프게 하지 않으려 애썼다. 평강공주 같은 지위에 올라서면 누구든지 권한을 무자비한 권력으로 휘두를 수 있었다. 하지만 그녀는 궁궐 밖에서의 삶을 후회하지 않으려 들녘에서 백성들과 함께 땀을 흘렸고 뜨거운 차 한 잔에 그 고단함을 녹였다. 수레를 타고 때로는 말을 타고 안시성 안팎을 평강이 몇 번이나 드나들었는지 아무도 몰랐다. 그녀의 등줄기에 흐르는 땀은 호랑이도 얼어 죽는다는 북부여의 한파를 무색하게 만들었다.

평강이 베푼 선정이 마냥 따뜻하고 정겹기만 한 것은 아니었다. 관원들은 벼슬이 높을수록 정신을 더 바짝 차려야 할 만큼 차갑고 묵직한 정치였다. 이처럼 그 무엇보다 서민을 배려하는 정책은 사람들을 불러 모았고, 이 사람들이 자그마한 안시성이 가진 저력의 밑바탕이었다.

안시성의 통치력이 미치는 곳은 빈민이 거의 없었지만, 빈민들에게는 연 다섯 푼 이하의 이자만 받을 수 있었다. 평강은 다른 지역과 달리 안시성에서는 자식들을 노비로 팔아 빚을 갚는 것을 법으로 금하였다. 어느 날 양권명이 평강에게 터놓고 물어보았다.

"어머니, 어찌 그리 노비까지 중히 여기십니까? 진대법으로 빌려간 곡물을 갚지 못해 자녀를 노비로 팔아버린 자까지 다 구제해주시다니요. 이것은 지나치게 관대한 처사 아니옵니까? 세인들이 중용이 제일이라 하기에 드리는 말씀이옵니다."

평강이 말하였다.

"하늘을 떠받치는 듯했던 저 아름드리나무가 왜 고사한 줄 아느냐?"

"언제부턴가 저 나무밑동 근처에 개미들이 꾀었습니다. 그 탓인진 잘 모르겠지만 그 뒤부턴 몰려드는 해충들을 당해내지 못하는 것 같았사옵니다."

대답을 하면서 양권명이 스스로 고개를 끄덕이었다. 그는 오랫동안 어머니의 얼굴을 바라보았고 평강은 오랫동안 아들의 머리를 쓰다듬어 주었다. 자녀를 노비로 파는 일이 발생하지 않도록 하는 게 그녀가 해야 할 일이라고 평강은 믿었다.

이날 저녁 평강이 홍이와 둘째 아들 양권명을 같이 불렀다. 평강이 양권명에게 말했다.

"성주라는 자리가 뭐라 생각하느냐?"

"소자가 어찌 성주의 일을 알겠습니까만, 어머님이 하시는 일을 지켜보니, 성주의 그릇만큼 백성들이 사는 거 같습니다. 성주의 마음씀씀이만큼 백성들이 행복을 누리는 듯하옵니다. 주민들에게 어떤 환경을 만들어주는지에 따라 그들의 삶이 달라지는 거 같습니다."

평강이 홍이에게 물었다.

"어떻습니까?"

"제 가슴속에 새겨 놓아야 할 말씀입니다."

홍이가 웃자 평강이 고개를 끄덕였다.

"저 아이에게 성주 자리를 물려주려 합니다."

"하오나 공주님, 아드님은 아직 성년이 안 되었습니다."

"어찌 나이가 문제겠습니까. 저 아이가 지금당장 성주노릇을 해보는 게 좋을 듯합니다. 그대와 내가 살아있을 때 말입니다."

양권명이 말했다.

"어머니! 무슨 말씀을 그리하시는 겁니까. 오래오래 사셔야지요."

"공주님, 고인이 되신 그분의 몫까지 오래도록 사셔야 합니다."

평강이 고개를 저었다.

"미리감치 경험을 해둬서 나쁠 건 없습니다. 그릇과 항아리의 쓰임새는 정해져 있는 게 아니라 하잖습니까. 꿀을 담으면 꿀병이 되고 기름을 담으면 기름병이 되고, 된장독과 간장독도 마찬가지일 테고요."

성년이 채 안 된 양권명에게 평강이 안시성을 다스리도록 하였다.

12. 고구려의 어머니

어느 날 웬 소년이 한밤중에 평강궁 문을 두드렸다. 소년이 울고불고 난리치는 바람에 궁 안이 소란스러워졌다. 잠에서 깨어난 평강이 밖으로 나와 사연을 들어보니 소년의 아버지가 갑자기 고열이 나더니 혼절을 했다는 것이었다. 옷소매로 얼굴에 흐르는 땀을 닦는 소년의 얼굴을 평강이 찬찬히 쳐다보았다. 평강이 말했다.

"너는 저 멀리 메조골에 사는 막동莫童이 아니더냐?"

"그렇사옵니다요."

"메조골은 여기서 사십 리가 넘는 곳 아니냐? 예까지 뛰어온 것이냐?"

평강이 소년의 발을 쳐다보았다. 찢어진 가죽신과 바지 자락에 피가 묻어 있었다. 평강이 의원을 불러오라 하였다. 의원이 소년의 발을 치료하는 동안 평강은 길 떠날 채비를 하였다. 시녀가 평강에게 진언을 하였다.

"공주님께서 직접 가실 필요는 없을 듯하옵니다."

"아니다. 고열이 난다하니 내가 가서 직접 확인하려는 것이다. 전쟁이 있은 후엔 전염병이 돌기 쉽다고 하니 행여 전염병이 아닌가 걱정이 돼서 그러는 것이다."

"만약에 그렇다면 더더욱 공주님께서 가시면 아니 되옵니다."

"한시가 급한 일이다."

평강은 주위의 만류를 뿌리치고 메조골을 향해 말을 몰아갔다. 의원과 소년도 말에 태워 메조골로 달려갔다. 의원의 진단 결과 다행히 전염병은 아니었다.

이 일을 겪은 후 평강은 비교적 큰 마을에는 의원을 두었다. 농민들에게 인삼, 쑥, 도라지, 하수오 같은 약초 재배를 권장하고 약재로 쓰는 풀과 나무를 구해 잘 말려 갖추게 하였다.

인삼은 예부터 귀한 약재로 다른 나라에 비싼 값에 팔렸다. 백성들이 인삼을 재배해서 부자가 된 마을 사람들은 인삼을 칭송하는 노래를 불렀다.

해 뒤에서 난 세 줄기
다섯 잎사귀는 그늘을 좋아해요.
내 사랑을 얻으려면
나무 아래서 나를 찾으세요.

인삼뿐만이 아니었다. 평강은 은산에서 나는 금과 은으로 약용으로 쓰는 가루를 만들어 외국과 교역을 하였다.

평강은 백성들에게 의술서적을 보급하고 집집마다 비상약재와 침을 구비하게 하였다. 원래 고구려는 금속을 다루는 제련기술이 발달해 침도 잘 만들었다. 평강은 마을을 돌아다니다가 대장장이를 만나면 침을 새로이 만들어보라 말하곤 했다. 훗날 어떤 대장장이가 오래도록 공을 들여 아주 가느다란 침을 만들어냈다. 그 침으로 머리카락을 꿸 수 있을 정도였다.

세월은 평강에게서 사람들을 앗아갔다. 어릴 적부터 평강의 든든한 버팀목이었던 오라버니 영양왕이 운명하고 이복아우 영류왕 고건무의 치세가 되었다. 남편 온달의 벗이자 전쟁영웅으로 추앙 받던 강이식과 을지문덕도 유명을 달리하였다.

온달의 의형제 우마리가 사망한 뒤 그가 관원과 짜고 나라에서 거둬들이는 조세를 착복했다는 게 밝혀졌다. 국익을 우선하겠다고 그토록 다짐을 했건만, 우마리의 두 얼굴에 평강은 적잖이 충격을 받았다. 마음 하나로 평생을 산다는 건 지극히 어려운 일인 듯싶었다.

온달의 의형제 중 홀로 남은 홍이에게도 최후의 순간이 찾아왔다. 임종에 앞서 홍이가 평강에게 말했다.

"공주님, 늦은 감이 있지만 드릴 말씀이 하나 있사옵니다."

"무슨 말이오?"

"거짓 삶을 더 이상 살지 마십시오."

"그게 무슨 말이오?"

"저를 비롯한 다른 사람들은, 백성들은 공주님이 있어 행복했을 겁니다. 하지만, 공주님은요? 지금부터라도 부디 공주님의 행복을 위해서 사십시오."

"이런, 그렇게만 보였소이까? 그대를 비롯한 다른 사람들이 있어 나도 행복했습니다. 그 사람들이 우는 모습을 보고 싶지 않았을 뿐입니다. 다른 사람들이 아파하는 모습을 보면 내 마음도 조금 울적했을 따름이고요."

환하게 홍이가 웃었다.

"고맙습니다. 고마웠습니다. 공주님과 수많은 날을 함께할 수 있어서. 이렇게 웃으면서 헤어질 수 있게 해줘서 고맙습니다."

"그토록 많은 이별을 했는데도 이별은 왜 이리 늘 아픈 것인지."

더 이상 평강은 말을 하지 않았다. 홍이가 눈을 감아서였다. 평강이 자리에서 일어났다. 이제 다 떠난 것인가. 어렸을 때 울고불고하던 그녀의 모습을 기억해주는 사람은 이제 하나도 없는 것인가. 이별은 왜 이리 늘 아픈 건지, 아픔을 느낄 수 있어 여태 살아있는지도 몰랐다.

평강의 비애는 끝나지 않았다. 평강 가족의 불상사는 그 끝이 어디인지 보이지 않았다. 둘째 아들 양권명이 갓 약관이 지난 나이에 요절하였다. 어째서 좋지 않은 예감은 빗나가지 않는 것인가. 둘째 아들이 병약해 보이는 것이 그녀만의 기우이길 바랐건만, 둘째는 시름시름 며칠 앓더니 급사하고 말았다. 아픔이라 말할 수조차 없는 이 사별에는 온달이 죽은 뒤 더 강강하게 살아왔던 평강도 오래도록 흐느꼈다.

"권명아, 내 아들아, 권명아."

평강은 부쩍 말수가 줄어들었다. 온달이 죽었을 때보다 더 말수가 줄었다. 예전처럼 사람들에게 일부러 더 호탕하게 웃어주었던 웃음을 보이지 않았다. 자주 둔치에 홀로 앉아 흘러가는 강물을 바라보곤 했다. 사람들은 나날이 수척해져가는 평강을 먼발치서 지켜볼 뿐이었다.

어느 날은 평강이 하루 내내 말 한 마디 없이 시냇물만 바라보았다. 해 질 무렵 평강이 자리에서 일어났다. 뒤돌아서서 묵묵히 자신을 지켜보는 사람들을 바라보았다. 애써 평강에게 웃음을 보이던 사람들 눈에서 눈물이 주르륵 흘렀다. 그 사람들을 뒤로 하고 평강이 동신성모지당을 찾아갔다. 그녀 혼자 오래도록 살아남아 수많은 사람들을 떠나보내는 아픔을 겪는 연유를 묻고 싶었다. 남편 온달의 몫까지, 두 아들의 몫까지 더 살라는 계시인 것인가.

온달을 무척이나 좋아해서 궁궐에서 살 운명인 그녀가 백성들 속으로 뛰어들었다. 온달을 무척이나 그리워해서 은하수를 곧잘 바라다보고 신모상 앞에 자주 무릎을 꿇었다. 하지만 부군 온달과 맏아들은 평강에게 짧은 기쁨과 긴 슬픔, 헤아릴 수 없는 상처의 나날을 남겼다. 둘째 아들 또한 눈물로 포장한 마지막 선물을 주고 세상을 떠났다. 신모님, 저에게서 무엇을 바라십니까. 답은 듣지 못했어도 그녀가 홀로라도 건재한 데에는 무슨 까닭이 있을 것이었다. 그녀는 마음을 다잡았다.

평강에게는 그녀를 의지하는 백성들이 있었고 새 생명을 잉태하고 있는 둘째 며느리가 있었다. 그 한 조각 희망을 평강은 기다렸고 무지개가 뜬 날 손녀를 얻었다. 아기의 우렁찬 울음소리에 안시성 주민들이 평강보다 더 많은 기쁨의 눈물을 흘렸다. 백성들이 나서서 손녀의 탄생을 축하하는 잔치를 열었다. 하늘을 우러러 평강공주의 이 손녀만큼은 건강하게 오래오래 살기를 염원하였다. 백성들뿐만 아니라 평강 또한 이 손녀가 영원한 봄이기를 소망했다.

내일모레가 시월 보름 동맹 날이었지만 평강은 기다리지 않았다. 손녀를 품에 안고 동신성모지당 유화부인 앞으로 나아갔다. 평강이 신모상의 얼굴을 주시했다. 핏덩이 손녀의 강녕을 빌었다. 이 아이가 가는 길의 이정표가 되어주십시오. 저 한결같은 북극성처럼.

평강은 이 손녀아이가 기나긴 겨울을 끝내는 영원한 봄이었으면 싶었다. 눈 속에서 피어나는 강인한 꽃이기를 소원했다. 손자가 아닌 손녀였어도 평강은 개의치 않았다. 고구려에서 여자의 공간은 집안으로 한정되지 않았다. 여자는 애 낳고 살림만 하는 존재가 아니었다. 때로는 전장에서 적과 싸우는 일도 거침없이 행하는 게 고구려 여인이었다. 신모 상 앞에서 평강은 손녀의 이름을 만춘萬春이라 지었다. 안시성의 전설 양만춘의 탄생이었다.

둘째 며늘아기가 출산 후유증으로 죽고 말았다. 평강이 그녀의 품안에서 꼬물거리는 손녀를 보았다. 지금 이 핏덩이에게는 그녀의 품이 이 세상의 전부일 것이었다. 세상 모든 사람들이 갓난아기였을 때 그 어머니가 세상의 전부이듯. 평강이 어머니의 얼굴을 기억하지 못하듯 손녀 또한 그 어머니의 세계를 알지 못할 것이다.

시린 나날의 기억을 가슴에 화인처럼 박아두면서 평강은 낙담하지 않았다. 안시성이 먹고 살 만해졌다고는 하나 그녀의 선정과 은혜를 고대하는 백성들은 여전하였다. 그 백성들을 일일이 살피다보면 외로움은 느낄 겨를이 없을 것이었다. 하나밖에 없는 손녀가 고구려의 여자로 장성하는 것, 이것이 평강의 마지막 꿈이었다.

고구려인은 해마다 유화부인과 동명성왕의 신상 앞에서 하늘과 땅에 제사를 올렸다. 커다란 동굴 안이나, 영험한 신목 앞에서 악사들이 음악을 연주하는 가운데 백성들은 풍요를 기원하였다.

안시성 안팎에서 성대한 잔치와 놀이가 벌어졌다. 물가에서 투석 놀이를 하였고 씨름과 줄다리기 시합을 하였다. 신나게 놀던 백성들은 왠지 허전한 거 같았다. 무언가를 잊고 있는 거 같고 뭔가가 빠진 듯싶었다.

"맞다, 공주님."

"우리끼리만 놀게 아니라 공주님을 모셔오자."

백성들이 평강궁으로 우르르 몰려가 평강의 행차를 청하였다. 평강은 사양하지 않았다.

손녀를 품에 안고 평강이 놀이터에 모습을 드러내자 백성들이 큰절을 하였다. 백성들이 평강 앞에서 연을 날렸고, 그네와 널을 뛰었고, 팽이치기와 제기차기를 하며 놀았다. 술과 음식이 푸지게 차려진 자리를 평강과 백성들이 함께하였다. 축제 분위기가 달아오르자 평강이 백성들에게 말했다.

"내가 없어야 너희들이 맘껏 놀 수 있을 게다."

평강이 궁으로 돌아간 뒤에도 백성들은 밤새도록 춤을 추며 노래를 부르며 놀았다.

동맹이 끝나고 바람이 세차지더니 한 해가 저물었다. 새해를 맞이하는 마당에도 평강은 가슴이 찡해 왔다. 근자에 몸이 예전만 못함을 느끼었다. 몸이 늙어가면서 정신도 점점 시드는 듯싶었다.

남편 온달은 그녀가 누린 삶의 반도 채 누리지 못하고 세상을 떴다. 운명이 아닌 선택으로 온달은 먼저 가야했을 뿐이었다. 그토록 가고 싶어 한 길이었으니 온달이 아단성에서 목숨을 걸고 싸울 수도 있었다. 하지만 화살을 맞고도 죽지 않은 사람도 적지 않았다. 그의 선택이 안타깝고, 그 화살 한 개를 이겨내지 못한 것이 더 안타까울 따름이었다. 온달의 어깨에 박혀있던 북두칠성 모양새의 점도 부질없었다. 인간의 운명을 좌우하는 북두칠성은 온달의 복수를 다스리지 못했고 수명을 담당하는 하늘대장군은 온달의 의지를 꺾었다. 단명으로 태어난 아이의 운명을 북두칠성이 고쳐줘 장수하였다는 설화는 솔깃한 할머니의 옛날얘깃거리였을 뿐이었다.

평강이 저 하늘의 태양을 올려다보았다. 날이 저물어 밤이 된다한들 내일 또 해가 떠오를 것이었다. 혼자서 삼십여 년을 걸어왔고 외로움은 이미 일상이었다.

영류왕의 우려와 달리 평강은 평양성의 정권에는 관심을 두지 않았다. 오직 안시성 백성들만을 돌봤다. 그 은덕이 온 고구려에 퍼져 나갔고, 백성들은 평강을 어느 순간부터 '어머니'라 불렀다. 어머니, 평강은 공주라기보다 어머니 같았다. 배가 부른데도 왜 밥을 안 먹느냐고 자꾸 물어보는, 맛난 반찬 하나 더 장만해주려는, 아플 때면 더 생각나는 어머니 같았다. 평강이 꽃이라면 그녀는 백성들이 먹을 수 있는 꽃이었다. 어머니의 젖처럼 어머니가 해준 밥같이. 평강이 풀이라면 그녀는 먹을 수 있는 나물이었고 평강이 나무라면 그녀는 달콤한 열매를 선사해주는 과일나무였다.

평강의 남편과 아들은 평강에게 눈물을 남긴 사람이었고 백성들은 그녀에게 보람을 선물해준 사람들이었다. 백성들은 그녀의 이름 평강을 노래했다. 언제부터인가 평강이 웃어도 백성들은 좋았고 화를 내도 백성들은 좋았다. 평강이 울어도 좋았고 눈물을 흘려도 좋았다. 그들 곁에 평강이 있어주기만 해도 더 바랄 게 없었다.

안시성에서 새로운 삶의 터전을 일구려는 무리에는 여자가 귀했다. 잦은 전쟁으로 남편을 잃은 여인들이 이들과 곧잘 재혼을 했다. 안시성을 비롯한 고구려 땅에서 아버지는 수나라사람 어머니는 고구려사람인 아이들이 태어나고 자라났다. 그 아이들도 다른 아이들처럼 경당에서 활쏘기 같은 무예를 배웠다. 이 아이들이 성장하면 씩씩하고 자랑스러운 고구려인이 될 것이었다.

수나라 포로출신 고구려인도 안시성 안팎 곳곳에 있는 경당을 이용할 수 있었다. 원래 책읽기를 좋아하는 고구려인들도 오경, 역사서, 문선 등을 밤늦은 시간에도 마음껏 읽을 수 있었다. 수준 높은 교육과 문화는 수나라포로출신 고구려인들이 진정한 고구려인으로 거듭나는 계기가 되었다.

평민과 노비들의 삶이 안시성이라 해서 고단하지 않을 리 없었다. 하지만 그 어느 곳보다 안시성은 벼슬아치들이 청렴했고 조세가 적었다. 백성들은 땀 흘린 대가를 제 손에 쥘 수 있었다. 백성들은 이 모든 것이 단한 사람의 은덕이라 해도 과언이 아님을 알았다. 주민들은 까마귀가 어미 새를 봉양하듯, 평강이 친어머니인 양 효도하고 보은했다. 아마 요임금과 순임금의 태평성대가 이러했을 것이었다. 백성들의 칭송은 그칠 줄 몰랐고 안시성은 그들에게 무릉도원 그 자체였다. 그 누구도 감히 이 성스러운 땅을 넘보지 못할 것이었다. 이것이 고구려의 어머니 평강이 걸어 온 길이었다.

*

열두 번의 봄이 다시 훌쩍 지났다. 638년 늦봄 언저리에 날 평강의 희수연이 열렸다. 평강이 거듭 사양했음에도 백성들이 나서 잔치를 벌였다. 백 세 가까이 천수를 누린 장수왕처럼 백성들은 평강이 오래오래 살기를 바랐다. 장수왕은 평강의 고조부의 고조부였다. 평강의 몸에 장수왕의 피가 흐르니 그녀도 오래도록 장수할 듯싶었다.

수많은 왕족들과 귀족들이 평강의 얼굴을 보려 안시성으로 몰려들었다. 그들 가운데에는 외국의 사신도 있었다. 백제와 신라의 사신도 어렸을 적부터 그의 부모로부터 바보온달과 평강공주 이야기를 귀가 닳도록 들으며 자랐다.

희수연이 끝나갈 즈음 평강이 하루성주에게 가까이 다가오라고 손짓하였다. 둘의 사이가 가까워졌을 때, 무심코 평강을 바라본 사람들이 흠칫했다. 평강의 몸에서 이상한 빛을 본 것 같아서였다. 그녀가 걸치고 있는 장신구나 옷에 달린 패물에서 나오는 빛이 아니었다.

나이어린 손녀 하루성주를 평강이 하객들에게 인사시켰다. 사람들은 한참동안 평강과 그 손녀를 바라보았다. 평강이 하객들과 작별인사를 나누는 동안 사람들의 시선은 그녀의 나이어린 손녀에게 쏠렸다. 평강의 손녀를 며느리로 삼을 수 있다면, 저 손녀를 아내로 삼을 수만 있다면 고구려의 하늘아래선 그 무엇도 두려울 것이 없을 듯싶었다. 평강의 마음만 얻으면 아니, 평강과 사돈이 되기만 하면 제2의 바보온달일지라도 고구려의 권력자로 부상할 것이었다.

몇몇 귀족은 이 희수연 자리에서 바로 혼담을 꺼냈다. 평강은 고개를 저을 뿐이었다. 그 얼굴에는 그녀의 주름살만큼이나 깊은 단호함이 배어있었다. 여느 고구려인들이 평강을 떠받드는 것과 달리 혼사를 원하는 귀족들에게 평강은 그저 고집쟁이 할망구일 뿐이었다. 아쉬운 쪽은 평강과 사돈이 되려는 사람들이었고 그들은 별다른 도리가 없었다. 저 일백 번 담금질한 쇠보다 더 강강한 고집은 평강의 아버지 평원왕도 꺾지 못했다. 그 옛날 온달이 궁궐에서 쫓겨났을 때처럼 마구잡이로 손짓발짓하며 생떼를 쓰는 어린아이도 아니었다. 평강은 이제 고구려의 어머니라 불리는 고고한 여인이었다.

평강은 꽃 같았다. 소녀 때는 진달래였고 온달이 죽은 뒤에는 연꽃이었고 노년은 국화꽃이었다. 평강은 관상용 꽃, 향기만 있는 단 한 송이 꽃이 아니었다. 그녀의 일평생은 백성들이 먹을 수 있는 흔하디흔하면서 진정 고귀한 꽃이었다.

세인들은 평강이 수문제 독고獨孤황후의 지혜와 수양제 소蕭황후의 현덕을 함께 지녔다고 하였다. 독고황후는 수문제와 더불어 두 성인이라 불릴 만큼 황제와 맞먹는 권력을 휘둘렀다. 신라에서는 공주가 왕위에 올랐다. 여인들이 일인자가 되는 시대를 세상은 받아들이기 시작했다.

평강이 안시성 서남쪽에 자리한 비사성으로부터, 동북쪽으로 건안성, 요동성을 거쳐 저 멀리 부여성까지 순행을 했다. 손녀 하루성주와 함께. 평강의 생에 마지막이 될지도 모를 여행이었다.

평강과 하루성주가 안시성으로 되돌아오는 길에 안시성 북쪽 안산이라는 곳을 시찰하였다. 안산은 말안장을 쏙 빼닮은 두 개의 봉우리가 있어 그리 불렸다. 신녀봉이라고도 불렸는데 평강은 이 풍광과 재미난 신화 따위에는 관심 없었다. 안산은 철광석의 주산지였다. 이 철광석 또한 평강과 안시성이 가진 힘이었다. 다른 성의 성주들은 그 철광산을 부러워하고 군침을 흘렸다. 동북쪽에는 천하제일 광산, 남서쪽에는 너른 들과 강이 있으니 안시성은 무엇 하나 부족한 게 없어 보였다. 평강이 하루성주에게 말했다.

"저 땅이 누구의 것이라 생각하느냐?"

"우리 고구려의 땅이잖아요?"

"하루야, 달리 한번 생각해보거라."

"할머니, 저 땅은 얼핏 할머니 거 같아 보이는데, 실은 저 땅에서 곡식을 기르며 살아가는 사람들 거 같아요. 그리고 저 땅에 뿌리를 내리고 수백 년을 사는 나무랑 해마다 새로 생겨나는 풀이 땅 주인 같기도 해요."

평강이 하루성주의 볼을 쓰다듬었다.

"예서, 마차에서 내려 걸어가자."

평강이 하루성주의 손을 잡고 평강궁을 향하여 걸어갔다. 안시성 안팎을 오가는 수많은 백성들과 인사를 나누며. 길을 가던 요동댁遼東宅이 평강에게 인사를 했다.

"공주님, 잘 다녀오셨습니까요?"

"그래, 너도 잘 있었느냐."

하루성주가 말했다.

"요동댁, 점심 먹었어?"

"아침을 그릇을 먹었더니, 아직 안 먹었습니다요. 성주님은요?"

"그럼, 점심을 요동댁 집에 가서 같이 먹을까?"

하루성주가 평강에게 말했다.

"할머니, 어때요?"

"그래, 그러자꾸나."

하루성주가 요동댁에게 말했다.

"아줌마, 아나阿那 집에 있죠?"

평강이 요동댁 집으로 행차해서 식사를 한다고 하니 그 이웃집에서 만난 반찬 한 가지씩을 챙겨 가져왔다. 곧 푸짐한 상이 차려졌다. 요동댁의 나이어린 딸 아나가 평강에게 말했다.

"할머니, 이건 무슨 나물이에요?"

"눈이 나빠져서 무슨 나물인지 잘 몰라보겠구나."

아나가 나물이 담긴 그릇을 평강 앞에 내밀었다.

"자, 드셔보고 알려주세요."

"그래, 맛을 보면 무슨 나물인지 알겠구나."

나물을 먹은 평강이 말했다.

"곰취나물이구나."

“맛있어요?”
“그래, 향이 좋구나. 너도 한입 먹어보거라.”
요동댁이 죽을 끓여 내왔다.
“아나야, 공주님 귀찮게 하지 말고 얌전히 있어. 공주님, 잡수기 편하시라 죽을 좀 쑤어 왔습니다요.”
“그래, 고맙구나.”
하루성주가 장조림 고기 한 조각을 아나의 밥그릇에 올려주었다. 장조림을 씹으면서 아나가 말했다.
“맛있어.”
“또 줄까?”
“응, 아니.”
“무슨 대답이 그래?”
“할머니 공주님 드려.”
“왜?”
“우리 엄마가 할머니 공주님을 먼저 챙겨야 한다고 그랬어.”
“아나야, 할머니 공주님이 더 좋아 내가 더 좋아.”
“언니가.”
“그럼 이 장조림 내가 먹어도 돼?”
“응. 우리 엄마가 할머니 공주님 다음 성주님 언니라고 했어.”
“언니가 이걸 먹고, 할머니 공주님이 화내시면 어떡하지?”
아나가 평강에게 말했다.
“화 안 내실 거죠?”

"아나 네가 그 장조림을 먹지 않으면 화를 낼 테다."

아나가 냉큼 장조림을 입 안에 넣었다.

지체 높은 공주가 수많은 백성들과 낮은 자리에서 함께 어울린다는 것은 피곤한 일이었다. 아무런 일이 생기지 않은 날은 손가락으로 셀 수 있을 듯 싶었다. 어떤 백성은 앓아 누웠고 어떤 이는 크게 다쳤고 누군가는 유명을 달리했다. 어느 사내는 데릴사위가 되고 어느 여인은 아이를 낳았다. 그러한데 오늘은 아직까지 별다른 소식이 들려오지 않은 조용한 날이었다.

따사로운 햇살 아래서 평강이 서책을 들여다보았다. 참으로 오랜만에 대하는 노자의 글이었다. 평강은 소국과민 대목을 한 글자 한 글자 더듬으며 그녀가 행한 일과 비교해보았다.

백성들이 맛난 음식을 먹고 따뜻한 옷을 입으며 그들이 웃을 수 있게 하였다. 갑옷과 무기를 많이 장만해두었을 뿐 적을 먼저 치지는 않았다. 백성들은 안시성으로 쳐들어오는 적들을 막아낼 자신감은 갖고 있을 것이었다. 그녀를 따라온 아단성 백성들은 그녀보다 먼저 안시성을 떠나지 않으리라. 노자가 말한 소국과민을 얼마나 이루었을까.

평강이 눈을 감고 그녀가 기억하고 있는 안시성 백성들의 얼굴을 하나하나 떠올려보았다. 검구월, 사사마, 일현, 도이기, 설나나, 정가압, 막동, 수많은 얼굴들이 떠올랐다. 얼굴만 알고 이름이 기억나지 않는 백성들이 있었다. 이름은 기억나는데 얼굴이 떠오르지 않는 백성들도 있었다.

평강이 눈을 떴다. 남편 온달이 묻는다면 소국과민의 반은 이루어냈다고 대답할 것이었다. 적어도 안시성에서만큼은 그녀 나름대로의 이상향을 이루었다. 왕으로 태어났으면 고구려에서 소국과민을 이루었을 터인데, 평강이 파란 하늘을 올려다보았다. 온달이 웃고 있었다. 유모와 아버지 평원왕이 웃고 있었다. 온달과 그 의형제들이 웃고 있었다. 첫째 온권후가 달려와 그녀의 품에 안기었다. 둘째 권명, 온달모를 비롯한 고구려의 백성들이 모두 환하게 웃고 있었다.

"할머니."

평강을 향하여 하루성주가 뜀박질을 해왔다. 평강의 손을 만지작거리며 한참을 머뭇거렸다.

"할머니, 할아버지가 정말 바보였어요? 영웅이 아니었어요?"

"영웅이라는 말도 맞고 바보라는 말도 맞는단다."

동그래진 눈으로 하루성주가 평강의 눈을 바라보았다.

"예? 그게 무슨 말이에요?"

"우리 고구려엔 전쟁영웅이지만 자신을 위한 삶은 살지 못했으니 바보인 게지."

"할아버지가 어떻게 살았는데요?"

"원수를 갚으며 살았단다."

"그게 왜 바보예요? 복수는 하라던데."

"복수하는 데 평생을 바쳤으니 할아버지의 삶은 없었단다. 나라를 위해서는 더 할 나위 없는 용맹한 장군이었지만 아내인 나에게는 바보 같았다. 그게 우리 고구려 사내의 삶이어야 하는지는 이 할미도 잘 모르겠구나."

"그럼, 할머닌 할머닐 위한 삶을 살았어요?"

서서히 평강이 고개를 끄덕이었다.

하루성주가 평강에게 무엇을 하며 살았는지 물었다. 잠시도 머뭇거리지 않고 평강이 사랑이라고 하였다.

"할아버질 사랑했고, 두 아들을 사랑했고, 지금은 우리 하루를 사랑하고 있지."

하루성주가 고개를 끄덕이었다.

"백성들은요? 백성들은 할머니가 백성들을 사랑하니까 할머닐 따라 안시성에 왔다던데요?"

평강이 미소를 지었다.

"그러하더냐? 하지만 이제 그 사랑은 너의 몫이다. 네가 안시성의 성주니까."

"전 몰라요. 사랑 같은 거."

"할머닐 사랑하지?"

하루성주가 고개를 크게 끄덕이었다.

"백성들 한 사람 한 사람을 이 할미처럼 생각하면 된단다."

하루성주가 고개를 가로저었다.

"그래도 잘 모르겠어요. 할머니, 저 동무들이랑 놀고 올게요."

하루성주가 쥐고 있던 할머니의 손을 내려놓았다. 요춘궁 문밖을 향하여 달음박질을 하였다.

할머니 평강은 작아지고 있었고 손녀는 커가고 있었다. 평강이 하루성주의 모습이 보이지 않을 때까지 바라보았다. 미소를 짓던 평강이 눈을 감고 잠을 청하였다. 오늘 하루도 짧지 않은 고단한 하루였다.

사랑은 어린아이도 주고받을 수 있었다. 평강은 손녀에게 그 어떤 순간에도 사랑이 있어야 한다고 말해주고 싶었다. 복수, 전쟁, 영웅, 이러한 말들이 하루성주의 미래를 가로막지 않길 염원했다. 한평생 너무 많은 말을 하며 살아왔는지도 몰랐다. 아니, 아니었다. 사랑이란 말은 아무리 많이 한다 해도 괜찮은 것이었다.

문밖에서 아이들의 노랫소리가 들려왔다. 안시성 안팎에서 하루성주와 동무들이 고구려의 어머니 평강을 노래하며 뛰어 놀았다.

눈부신 황금빛 얼굴 그 분
구슬채찍 손에 들고 귀신 부리시네.
경쾌한 발걸음 느린 손짓 우아하게 춤추시니
제요帝堯의 봄 이루는 붉은 봉황이시네.

끝.

[평강] 다음 이야기는 장편소설 [안시성]으로 이어집니다.

[부록 : 연표]

559년 평원왕(평강의 아버지 고양성), 즉위

560년(추정) 평강공주, 온달, 태어남

566년 고대원(평강의 오라버니), 태자가 됨 온달, 데릴사위가 되어 입궁(추정)

568년(추정) 온달 궁궐에서 쫓겨남

575년(추정) 평강, 출궁해서 온달과 혼인

578년(추정) 3월 온달, 낙랑 사냥대회 우승 평원왕, 온달을 사위로 인정하지 않음

578년 5월 온달, 주무제에게 승리 평원왕, 온달을 사위로 인정

578년 6월 주무제(우문옹), 별세

590년 영양왕(평강의 오라버니 고대원), 즉위 온달, 신라 공격 개시

591년 진평왕(신라), 남산성 축성

593년 진평왕(신라), 명활성, 서형산성 개축 온달, 아단성 축성(추정)

593년(추정) 온달, 사망

598년 영양왕, 수문제(양견)에게 승리

600년 영양왕, 신집 5권 편찬 평강과 온달을 제 5권에 기록(추정)

612년 영양왕, 수양제(양광)에게 승리

618년 영류왕(평강의 이복아우 고건무), 즉위

642년 보장왕(평강의 조카 고보장), 즉위

645년 안시성 성주, 당태종(이세민)에게 승리

646년 5월 동명왕 어머니의 상, 피눈물을 사흘 동안 흘림

東明王母塑像 泣血三日[삼국사기]

646년 5월(추정) 평강공주, 별세

[부록 : 삼국사기 온달열전]

온달은 고구려 평원왕 때 사람이다. 용모가 구부정해 우스꽝스러웠어도 마음씨는 빛났다. 집이 몹시 가난하여 항상 밥을 빌어 어머니를 봉양하였다. 떨어진 옷과 해진 신발로 저자를 오고가니, 사람들이 그를 바보 온달이라 불렀다.

평원왕의 어린 딸이 툭하면 울어 왕이 놀리며 말했다. "내 옆에서 늘 울어대니, 너는 사대부의 아내가 못 되고 바보온달에게 시집가는 게 마땅하겠다." 왕이 매번 이렇게 말하였다.

나이 16세가 되어, 왕이 동부 고씨에게 시집보내려 하니 공주가 말하였다.

"대왕께서 늘 '너는 반드시 온달의 아내가 되라.' 하셨는데, 무슨 연유로 지난날의 말씀을 바꾸십니까? 필부도 식언을 않는데 하물며 지존께서요? 군왕은 실없는 소리를 하지 않는다 하였으니 지금 대왕의 잘못된 명을 소녀는 감히 받들지 못하겠습니다."

왕이 노하여 말했다.

"내 가르침을 따르지 않으면 너는 내 딸이 될 수 없다. 어찌 함께 살겠느냐. 너는 네 갈 데로 가거라."

공주가 보석팔찌 수십 개를 팔에 걸치고 혼자 궁궐을 나왔다. 어떤 이에게 온달의 집을 물어 찾아가, 눈먼 노모에게 인사하고 아들의 소재를 여쭈었다. 온달모가 대답하였다.

"내 아들은 가난하고 보잘것없으니 귀인이 가까이할 만한 사람이 못 됩니다. 그대는 향내가 보통이 아니고, 손은 매끄럽기가 솜 같으니, 천하의 귀인인 듯합니다. 누구의 꾐에 빠져 이곳까지 오게 되었습니까? 내 자식은 굶주림을 참다못해 느릅나무껍질을 채취하러 숲에 갔는데 아직 돌아오지 않았습니다."

공주가 산 아래서 느릅나무껍질을 지고 오는 온달을 보았다. 평강이 속마음을 얘기했는데, 온달이 거부하였다.

"이는 소녀의 행실이 아니니, 너는 사람이 아니라 여우나 귀신일 것이다. 나에게 가까이 오지 말라!"

온달은 돌아보지도 않고 가버렸다.

공주가 사립문 밖에서 자고 이튿날 아침 온달모자에게 정황을 얘기하였다. 온달이 우물쭈물하자 온달모가 말하였다.

"내 자식은 비루하여 귀인의 짝이 될 수 없고, 집은 몹시 가난하여 귀인이 살기에 진짜 적당치 않습니다."

공주가 대답했다.

"한 말의 곡식도 방아를 찧을 수 있고, 한 자의 베도 바느질할 수 있다는 옛말도 있으니, 마음이 맞으면 되지 어찌 부귀해진 뒤라야만 함께하겠습니까?"

공주가 금팔찌로 밭과 집, 노비와 소, 말과 기물을 사서 살림살이를 갖추었다.

말을 사기 전 온달에게 공주가 말했다.

“저자 상인의 말을 사지 말고, 나라에서 키우던 말 가운데 병이 들어 파리해진 말을 골라 사십시오.”

온달이 시키는 대로 하였다. 공주가 부지런히 기르고 먹이자 말이 살찌고 건장해졌다.

고구려는 해마다 3월 3일 낙랑에 모여 사냥해서 잡은 돼지와 사슴으로 하늘과 산천의 신령께 제사를 지냈다. 그 날 왕이 사냥을 나가니, 여러 신하와 5부의 병사들이 모두 따라갔다. 온달도 따라가, 말을 선두에서 달리고 짐승을 많이 잡으니, 다른 사람들이 온달과 비교가 안 됐다. 왕이 불러서 성명을 묻고는 놀라며 기이하게 여겼다.

주무제가 요동으로 쳐들어오자, 왕이 군대를 거느리고 배산의 들에서 맞아 싸웠다. 온달이 앞장서 수십여 명의 목을 베어 승기를 잡아, 군사들이 모두 공격에 나서 승리했다.

논공할 때 온달이 제일이라고 하지 않는 사람이 없었다. 왕이 기뻐하며 “이 사람이야말로 내 사위다.”라 하고, 예를 갖추어 그를 영접하고 대형 벼슬을 주었다.

왕의 총애가 더해져 온달의 위엄과 권세가 날로 성해갔다.

영양왕이 즉위하자 온달이 아뢰었다.

“신라가 우리 한수 이북의 땅을 차지하여 군현으로 삼으니, 그곳 백성들이 애통히 여기고 한시도 부모의 나라를 잊은 적이 없사옵니다. 대왕께서 저를 불초하다 여기지 않으시고 병사를 주시면 단 한 차례의 공략으로 반드시 제 땅을 도로 찾아오겠나이다."

왕이 허락하였다.

길을 떠날 때 온달이 맹세했다.

"계립현과 죽령 서쪽의 땅을 수복하지 못하면 돌아오지 않으리라!"

아단성 밑에서 온달이 신라군과 싸우다가 날아온 화살에 맞아, 돌아오는 길에 죽었다. 장사를 지내려는데 관이 움직이지 않았다.

평강공주가 와서 관을 매만지며 말했다.

"죽고 사는 것이 이미 결정되었으니, 아아! 돌아가십시다."

마침내 관을 들어 묻을 수 있었다.

소식을 듣고 대왕이 비통해하였다.

2권 [안시성 그녀 양만춘] 소개

당나라 황제가 직접 말을 타고 앞장서 출정했습니다. 시루의 콩나물처럼 빽빽하게 들판을 채웠던 군사들이 웅장한 북소리와 함께 움직였습니다. 그 모양새가 천 년 묵은 구렁이가 똬리를 틀고 있다가 천천히 몸을 푸는 것 같았습니다. 그런데 십오만이라 알려진 것과 달리 당나라군은 대략 오십만으로 추정됩니다. 총관 급으로 보이는 인물이 쉰 명쯤 되기 때문입니다. 그 유명한 신하와 장군, 돌궐, 철륵, 거란 등 여러 국가와 부족의 수장까지 참전했으니 온 세상이 움직였다 해도 과언이 아니라 사료됩니다. 워낙 대군이다 보니 집결지를 하루에 다 출발하지 못했습니다. 남은 군사들은 도열해 있던 그 자리에 막사를 설치하고 수천 개의 아궁이를 만들어 밥을 지었습니다. 닷새는 지나야 이 대군 모두가 출정을 완료할 것 같습니다.

백제 조정에서 계백은 다섯 가지 책략을 내놓았다. 최하책은 고구려가 당나라를 크게 이기게 하는 방책이었다. 백제와 국경을 맞대고 있는 고구려가 당나라보다 직접적인 위협이 되기 때문이었다. 하책은 당나라가 손쉽게 고구려에 대승을 거두게 하는 것이었다. 당나라의 힘이 건재하면 곧바로 백제를 칠지도 몰랐다. 중간 정도 되는 책략은 고구려가 큰 손실을 보면서 당나라를 물리치는 것이었고 상책은 당나라가 큰 피해를 입으면서 작은 승리를 거두는 것이었다. 최상책은 두 나라가 힘이 다할 때까지 싸우다가 비기게 하는 수였다.